JN061625

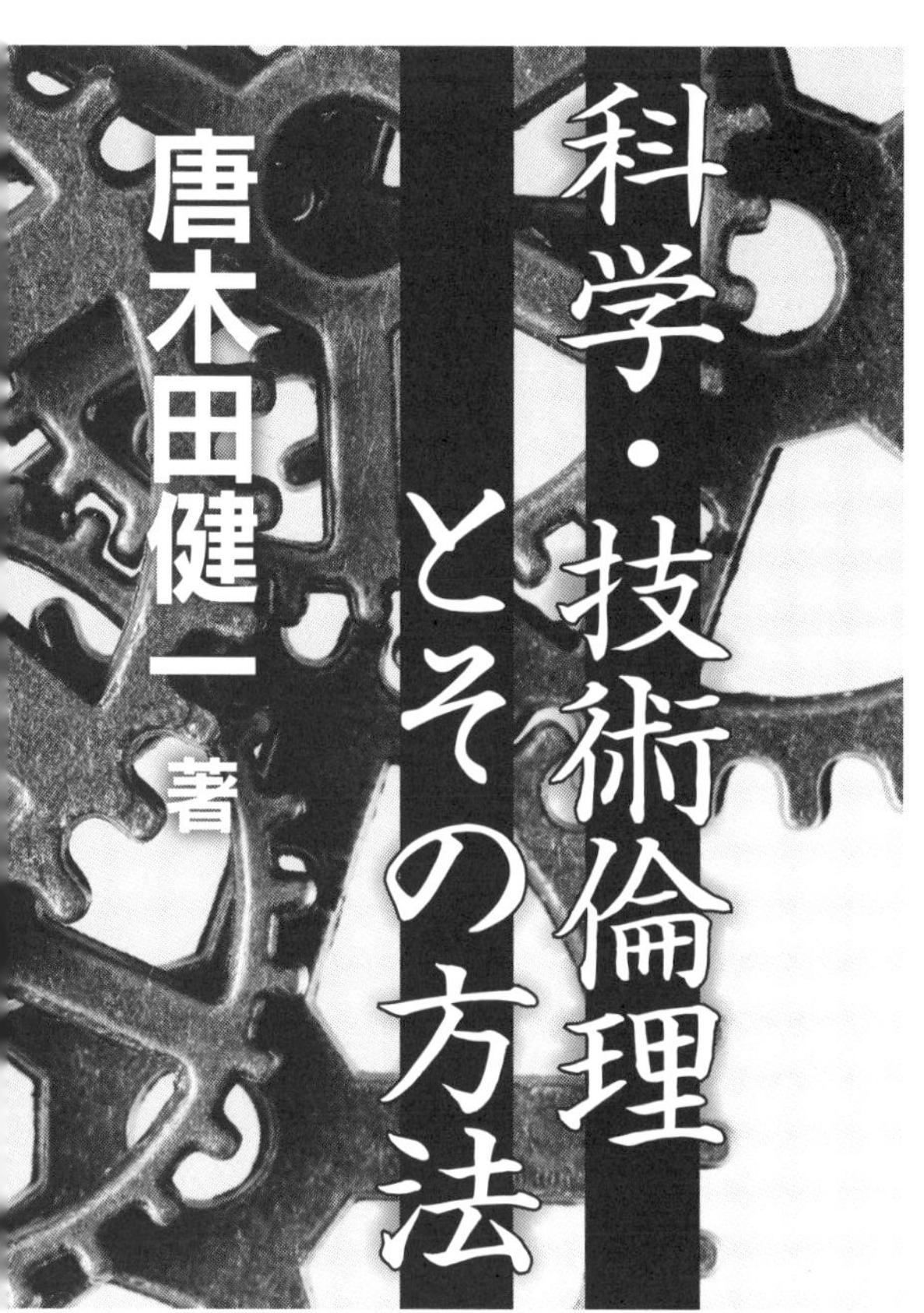

緑風出版

はじめに

「コンプライアンス（compliance）」ということがいわれ始めてすでに久しい。多くの組織では「行動規範」（あるいはその類似物）が制定され、さらには関連する諸規定の制定・整備がなされているようです。また、それと並行して、各種専門職の団体が会員に向けての「倫理規範」を定め、公表しています。しかしながら、いまだ《不祥事》はあとを絶たない——どころか、これまで比較的には堅実と思われてきた伝統ある企業の製造現場においても長期にわたる不正が明らかにされています。さらに国会では、首相の非行を糊塗（こと）するために、高給官僚が虚偽答弁を繰り返し、また証拠となるドキュメントが公然と隠蔽・改竄（かいざん）・廃棄されるという事態に至っています。これは、コンプライアンスや倫理規範のさらなる教育と徹底が求められているということなのでしょうか。

いま規範といわれているものはルールです。たとえば、（化学者は）「論文に記載するデータの偽造、ねつ造や他の著者の文献からの盗用を行ってはならない」といったものの集合です。組織の中でこれに反対する人はいないでしょう。また、単に「反対ではない」というだけでなく、そんなことは教えられるまでもなく、もとより承知していることです。だから、本質的な問題は、ルールを制定したり、それを教育することではない。確かに、ルールを制定しておけば、その違反者を躊躇なく処分できるというメリットはあります。しかし、倫理規範にどのように規定されていようがいなかろうが、科学者や技術者の学会において、ある会員の発表したデータが偽造や盗用であることが認定されたとすれば、それ自体が最高の処罰であるはずです。しかし現在の諸学会では、そのようなことは《注意深く》避けられています。

　また現在の社会ではおどろくほど相対主義が浸透しています。そのため、刑事事件となって逮捕でもされれば別でしょうが、そうでなければ自己を含め「各人は各人の利害に沿って振る舞うもの」との悟り風態度で、相当な非行にも目をつぶってしまう人が少なくありません。これが不祥事と呼ばれる犯罪の再生産を加速します。あるいは、社会的に意見の対立が存在する場合、《絶対的》価値基準が存在しないという理由でその対立を調停不可能とみなし、そこから身を遠ざける人も少なくありません。この行為は現に力の強い側に有利に作用します。

　したがって、必要なのは、共通の価値基準が存在しない場合いかに判断すべきかの方法であり、従来の倫理教育および管理者教育にはこれが決定的に欠落していたのです。これは、仮に古典的な概念と用語を採用するなら、「何が善か」を追求するための方法であり、これが本書の全体において提起されるものです。あらかじめお断りしておけば、これは相対主義に対して絶対主義をもち出すものではなく、逆にいわば、相対主義を徹底するものです。

現状では、行動規範や倫理規範を制定する側は、ある種の社会的体裁を整えることが主たる目的となってしまっているようにみえます。たとえば、諸学会共催のシンポジウム「科学者・技術者の倫理と社会的責任を考える」（二〇〇五年三月二八日）の広報パンフレットには、「科学者・技術者のコミュニティである学協会は、……『行動規範』『科学者・技術者倫理』の確立が社会から受容される必要条件になっている」〔「……」は引用者による省略〕と書かれています。すなわち、規範や指針の制定の動機が内発的なものというより、「社会的ニーズ」（！）にあったことが率直に吐露されています。このことは、学会のみでなく、科学者や技術者が勤務する諸組織においても同様です。コンプライアンス研修や倫理教育を受ける側の多くにとって、それは単に受講実績を得るための義務的手段であるかのようです。このようなおざなりな現状を根本的に変えない限り、事態はますます悪化するばかりです。

本書が提起する方法は、組織の中で仕事をする専門職および指導者・管理者に対し、価値に関わる問題を評価するための明確なガイドを提供します。そしてこの方法は、実は、科学や技術分野におけるさまざまな探究活動においてブレークスルー（breakthrough）を見出すための方法でもあるのです[*1]。

本書では、「倫理」は人間関係（「倫」）におけるコトワリ（「理」）という意味で使用されます。すなわちそれはコトワリ（倫「理」）なのであって、著者のいわゆる「広義の理論研究」[*2]の一環を構成します。

注

1　唐木田健一『理論の創造と創造の理論』朝倉書店（一九九五）、同『アインシュタインの物理学革命――理論はいかにして生まれたのか』日本評論社（二〇一八）。

2　唐木田健一『現代科学を背景として哲人たちに学ぶ――知の総合と生命』ボイジャー・プレス（二〇一九）、「はじめに」。

目次

科学・技術倫理とその方法

2章　ルールを超えた場合の方法：倫「理」

3章　組織／社会における科学者・技術者

4章　「倫理」を別の角度から眺めてみる

5章 日本社会における人間関係

1章　ルールとの関係

1　日常の問題

ダンの休暇

科学者・技術者倫理というと、不正の内部告発といった深刻な事態を想起しがちですが、実際ははるかに日常的で身近な問題が基本になります。ここではまず、次の事例[*1]を考察してみましょう：

ダンはランコット社の技術者である。ランコット社はある装置のメーカーで、ダンは顧客の工場におけるその装置の据え付けを監督するのが仕事である。会社ではもともとは装置を納入するだけで、あとは顧客側が装置に付属したマニュアルにしたがって据え付けるという方式を採用していた。しかしながら最近、据え付けの不備で顧客の作業者に人身事故の発生が続き、その原因は顧客がマニュアルの指示にしたがわないことにあった。そこで、ランコット社では、すべての据え付けを監督する技術者を派遣することが方針となったのである。

ダンはいま、ボールディング社での据え付けの監督をしている。同一装置一〇基のうち八基は予定通り据え付けを終了したが、そこで困ったことが起きた。残り二基の納入が二日間遅れるというのだ。実は、ダンはこの仕事を終了したら、友人三人と近くのスキーリゾートで休暇を取ることにしていたのである。「まいった。僕の休暇が終わってしまう。コンドミニアムには金を全部払っちゃったのに」。

ボールディング社側の担当技術者はジェリーだった。彼は、これまでの八基の据え付けを片時も離れず、すべてダンと一緒に作業してきた。「大丈夫ですよ。あなたに代わって私がやります。これまですべて一緒にやったのです。せっかくの休暇をふいにするのはバカげてますよ」。

ダンは残り二基の据え付けはジェリーひとりで完全にできることを確信していた。ダンはどうすべきか。

分析

ここでダンがどうすべきかは私たちにはよくわかっています。すべての据え付けを監督することが会社の方針（ルール）なのですから、ダンはもちろん、途中で任務を放棄してはいけないのです。「ある事態に直面したとき、どうすべきかの答えを与える」のが倫理であるとするなら、この事例は倫理的検討の対象としてはあまり意味がないように思われます。「答えはすでにわかっている」からです。

しかし、いざこういう事態に直面したとき、問題はそう単純ではありません。ルールを守るべきことは、少なくとも組織に属する人にはよくわかっていることですが、ここには誘惑が存在します。ダンは休暇を取ってスキーに行きたいのです。そして、仮にルール違反をしても、

(1)　ルールの目的（この場合には装置の安全な据え付け）は完全に達成できるであろう

(2)　顧客および自分の会社に与える損害は事実上皆無であろう

(3)　違反が明らかになる可能性は低い

と考えられます。

現実の問題として、日本では「融通をきかせる」ことが一種の美徳として通用するのがこれまでの通例でした。したがって、この事例のような場合、《建前は別として固いことはいわず》休暇を取ってしまうという選択も十分考えることができます。「どうせ、どこにも迷惑はかけない」のです。

他方、倫理を「答えを与えるもの」としてではなく「ある事態に直面したとき、理に適った選択を見出す手段」と位置づければ、事情は変わってきます。ここで、「理に適う」とは《利に適う》ことを含むものです。どういう選択がより理（利）に適うかを知るには、私たちは選択に関わるさまざまな要素を知り、その及ぼす可能性を考慮する必要があります。

仮にダンが据え付け完了を待たずに休暇に入ったとしましょう。そのあとどういうことが起こり得るのか。これまでの八基は同一装置でした。あとの二基も同一装置であるはずですが、何かの手違いで微妙に異なったもの（たとえば、軽微な欠陥を含むもの）が納入されるかも知れません。実際、すでに手違いは生じていて、その二基は予定に反して納入が遅れたのです。仮に装置に違いがあり、ジェリーがそれに気づかず作業をしたとしたら、据え付けに潜在的な不備の生じる可能性があります。これは人身事故に結びつき得るものです。また、それ以前に、この二基の受け入れのとき、ランコット社側の担当者としてダンが立ち会わずに済むのでしょうか。

また、ジェリーの同僚や上司が作業を見に来て、ランコット社の技術者（ダン）がいないことに気づくかも知れません。これは不審を招きます。さらにジェリーは、ダンがあまりに嘆いていたので「私がやります」とは言ったが、ダンがそれを受けて休暇に入ってしまったら、「ランコットの社員というのはいい加減なものだ」と感じるかも知れません。また彼はそのことを社内で話題にするかも知れません。これはランコット社にとって損失です。

さらに、事例の条件として排除されているわけではありませんので、別の可能性も探ることができます。ダンは会社に事情を説明し、代わりの技術者の派遣を交渉する余地があるかも知れません。もちろん、そんなことは「甘い」のかも知れません。しかし、少なくとも、装置の納入遅れという重大な事態はダンの責任ではありません。また彼は業務を予定通り完了させたあとすぐ休暇に入る予定だったのですから、すでに休暇届けは提出済みでしょう。

なお、ダンが直属上司に電話連絡し、「すでにボールディング社だけで据付は可能で、先方の担当技術者も了解している」と報告して、仮に上司から「そういうことなら休暇に入ってもいいよ」という返事をもらったとします。このときダンは安心して休暇に入ることができるのでしょうか。全くそうではありません。一般に、直属上司には会社のルール（方針）を変更する権限などありません。したがってこの場合、上司の「了解」を真に受けて休暇に入ったとしたら、それは上司との共謀によるルール違反ということになります。

ダンはある種の（ただし非常に可能性の低い）リスクを自覚し、「何か起きたら自分が責任を取ればいい」として休暇に入ることができるでしょうか。だめです。万が一何らかの事故が生じたとしたら、それはダン個人の責任ではなく、会社の責任となります。それは個人が取れる償いの範囲を優にはみ出します。もちろん、会社はダン個人の責任を追及するでしょうが、それで済むわけではありません。

「いざとなったら自分が全責任を取る」という台詞（せりふ）は最近のドラマなどでもよく耳にするものですが、実際には、無責任極まりないものが多いのです。

関連する注意点

事例の考察範囲からは離れますが、事例中には実務上気になる点がありますので簡単に触れておきます。ひとつは、ダンがジェリーとは「片時も離れず、すべて一緒に作業した」ことです。ダンの仕事は「据付作業の監督」だったはずです。もちろん、自分の組織の中では、監督が指導をかねて作業に手を出すことはあるでしょう。しかし事例の場合は、ランコットとその顧客であるボールディングという二つの会社が関わっています。作業の途上で何か事故が生じた場合、どちらの責任かといった面倒な問題の発生する可能性があります。この場合、「親切・不親切」といった個人的なことは離れ、各人は契約上に定められた分担をきちんと守る必要があります。たとえ親切心からでも、よけいなことは互いのためにすべきではないのです。

もっと大きな問題があります。納期は商取引において一般に極めて重要な要素です。そしてこの事例では、二基の納入が二日間遅れています。このようなことは通常、会社間での大きな問題になります。装置の稼動スケージュールが遅れ、予算にもインパクトを生じます。しかし本事例では、それがどう問題になり（あるいは問題とならず）どう処理されたのかについては触れられていません。納期遅れはダンの休暇にしか影響を与えなかったかのようなのん気な雰囲気です。ならば、二基の納入は、（ランコット社側がボールディング社側にどう説明するかは別として）ダンの休暇明けでもよかったのではないかとも思いたくなります。

倫理的組織の前提

読者の中には、これまでの議論の面倒くささから、「科学者・技術者倫理などうんざり」と感じた人がいるかも知れません。しかし、組織の中で働くというのは、そういうことなのです。すなわち、大変に面倒なのです。また、特定の組織には所属していないとしても、人は本質的に社会的な動物なのですから、自分のなすことに関わるさまざまな要素を知り、その及ぼす可能性を考慮する必要からは逃れられません。現在、組織や社会はますます入り組んだ複雑なものになっています。以下の本書で述べることは、このような組織・社会の中で《身を守っていく》上でも、大変に重要なのです。

ここでは、上述の簡単な事例の考察から、倫理的振る舞いの前提となる諸事項を確認しておきます。まず必要なのは、ルール（たとえば、就業規則や倫理規程）が定まっており、組織を構成する人々がそれを知っていることです。しかし、それだけでは十分とはいえません。このことを強調しておかなければならないのは、ルールを定めそれを組織内に広報すれば社会的責任を果たしたかのように考えているらしい組織を日本ではしばしば見かけるからです。また、ダンの事例でいえば、彼はルール（すべての据付を監督すべきこと）はよく承知していたのです。

ルールは制定され周知されるとともに、その遵守が徹底されなくてはなりません。組織によっては、ルールで明確に禁止されているはずの事項が、現場で堂々と実行されていることがあります。こういう場合は、ルール自体に問題があるか、あるいは厳守されるべきルールが目先の利益や効率のため組織的に無視されているのです。

それ自体に問題があるルールとは、たとえば現場作業についての経験・知識に欠如した人たちによって作成・承認された安全作業規程などです。その規程を遵守すれば安全であることは間違いないにしても、作業上著しい苦痛を伴うなどして遵守が困難なのです。また、法規制にも関わる重要なルールが組織的に無視されている事例は、「企業倫理」が声高に叫ばれている現在においてすら、しばしば明らかにされています。

組織として重要なルールを定め周知させたとしても、その遵守状況がほとんど確認されていないとしたら、その組織は非倫理的といわざるを得ません。その非倫理性は、組織にとって重要なルールの徹底を怠っているということ以上に、組織に属する個人を非倫理的選択に誘惑する点にあります。違反をしても《ばれない》のですから。また、ルールは定めたがその遵守状況が確認されないとすれば、実はルールを定めること自体が目的であったのではないかと解されかねません。すなわち、何か《不祥事》が生じたとき、「当社としてはすでにルールを定め、そのような行為は禁止していた」といった言い訳を通用させるためです。しかし、さすがに現在の社会は、それで納得するほど甘くはなくなりました。

ルールは定めればよいというものではなく、それにもとづいて現実が常にチェックされていなければなりません。これは組織をいわゆる「監視社会」化すべきことを意味するわけではない。このことはたとえば会計監査や建築確認のことを考えてみればわかります。これらは、健全性や安全性を共有する行為です。それらが正常に機能しないから、「粉飾決算」や「耐震強度偽装」などの犯罪を誘い出すのです。

「ダンの休暇」に関して付け加えれば、据え付けの監督が手抜きの許されない重要な任務であるなら——そして事例では実際そうであるということになっているのですが、その遂行状況を確認するための何らかの仕組みが必要であると思われます。それがなかったから、ダンはジェリーにまかせて休暇に入ることを考えたのです。

組織が非倫理的な場合

自分の属する組織が非倫理的であったときはどうしたらよいのか。これには「正解」はありません。倫理は「答えを与えるもの」ではありません。

どのような選択肢があり得るのか、ありきたりなことを承知でいくつか並べれば、まずはそのような組織には見切りをつけ、離れてしまうという選択があります。また、それだけでは組織の非倫理性はそのままなので、あらためて外部からその不正を告発することができます。あるいは、いろいろな事情から、組織内に留まるという選択もあります。この場合、自分は組織の経営や管理の責任者ではないのでその非倫理性は自分の責任ではないとして、それを無視するという生き方があります。また、見過ごしにはできぬということで、職制ルート――直属上司とそれを含む報告体系――にもとづいて改善の要求をするかも知れません。また最近では「倫理ホットライン」（組織上の問題の通報・相談窓口）などというシステムがありますから、それも利用可能です。それでもうまくいかなければ、職制ルートや正式ルートをあきらめて最高責任者に《直訴》をするかも知れないし、あるいは覚悟を決めての内部告発――すなわち問題を公に暴露する――という手段もあります。

「倫理は答えを与えるものではない」ということは、倫理の無力さを表明したものではありません。逆です。倫理はその人の生き方――人格の核心――に関わる重大事なのです。「人格の核心に関わる」とは、倫理的選択はその人の人格の反映であるし、逆にその倫理的選択からその人は人格に関わる評価――「あの人は誠実である」「卑怯者である」など――を受けることになるということです。

2　「お手本」について

「お手本」は存在しない

「倫理は答えを与えるものではない」ということは、倫理には「お手本」は存在しないことを意味します。「お手本」を与えるというのは、私にはかつての「修身」なる教科を思い起こさせます。ここでは、ある「工学倫理」の教科書[*2]における「お手本」を取り上げ、その問題を明らかにします。なお、「お手本」というのは、私がここでそう呼んでいるだけで、他の著者たちが用いている表現ではありません。

以下にその教科書から事例を引用しますが、それは私が教科書の記述にしたがってその内容を正確にまとめたものです。また、ここではその教科書の記述と表現（固有名詞の表記を含む）にもとづいて各事例を考察しますので、現実にどうであったかについては、私は関わりません。「事例」のあとの※印以降が私の意見です。

ブラウンと新素材自転車の開発

［事例］

ブラウンは会社を経営し、他企業から設計業務を受注している。あるとき彼は自転車メーカーのゼフィール社から、自転車のフレームをカーボンファイバーの新素材を使って軽くする設計を委託された。彼は、新素材の導入の前に、現行のアルミニウムフレームが本当に最適化されているのか自前でシミュレーション計算を行い、新素材を導入しなくても目標重量に近いところまで軽量化が可能であるという結果を得た。ゼフィールの担当者ジョーンズはシミュレーション自体に反対だった。現行のフレームは彼が設計したもので、どうやら自分の設計に文句をつけられるのを嫌ったようであった。ブラウンは、現行のフレームを最適化すれば新素材の導入に伴う製造工程の変更が不要となり多大なコスト削減ができると考え、ゼフィールの上層部に報告した。結果として、新素材導入プロジェクトは中止となり、それに伴いブラウンに対する契約も打ち切りとなった[*3]。

※

この事例のポイントは、ブラウンが合理的観点にもとづいて、自分への発注取り止めを含む提案を取引先の上層部に行い、それが受け入れられたということにあると推定されます。ブラウンは「倫理にはコストが伴うが、高潔さに対する報酬もある」と言ったと教科書では紹介されています。彼は自己の行為を「高潔」と自賛しているわけです。しかし、少なくともここでの内容にもとづけば、私はいくつかの疑問を感じます。

まず、顧客から注文を受けたとき、相談されたわけでもないのに、その注文の「妥当性」に口出しするのは問題です。そこには相当な配慮がないと、まずは礼儀上の軋轢を生じます。もちろん、「口出し」が結果として顧客から感謝されることはあるでしょう。しかしそこには慎重さが必要で、私はブラウンにはそれが恐ろしく欠けているようにみえます。この事例では、相手のジョーンズが何となく後ろ暗いところのある人物のように描かれているので、ブラウンの振る舞いがそのまま通用してしまっています。

ブラウンは「新素材を使ってフレームを軽くする設計」を委託されたのです。「新素材を用いることの妥当性評価」を依頼されたわけではありません。しかし、彼が行ったのは、直接の発注担当者を無視した、「新素材導入プロジェクト」の中止に関わる提案でした。一般に、企業内プロジェクトは、組織的に議論され承認されて発足するものであり、それは重要な社外秘です。外部の第三者が口出しするなどというのは本質的におかしなことです。また、ブラウンは設計委託に伴い、その限りでのみ企業秘密を開示されたはずであって、彼はそれを目的外に使用すべきではないのです。

さらに、プロジェクトの目的は通常複数存在し、それは外部に対しては必要に応じて開示されるだけです。この事例では軽量化だけがいわれていますが、実際そんな単純なものであったのかどうかは疑問です。それにブラウンは「新素材を導入しなくても目標重量に近いところまで軽量化が可能」という結果を得たのみです。この「近いところ」というのはくせものです。社内プロジェクトであれば、リーダーが目標に「近いところまで」達成したと報告しても、それはマネージメントから「目標未達」と判断されるだけです。

また、会社のレッキとした担当窓口（ジョーンズ）を飛ばして上層部に訴えるというブラウンの行為もずいぶん乱暴です。通常このようなことをするのは、担当窓口によほどの問題――端的には違法行為や背任――があった場合ですが、この事例では（ジョーンズが何となく後ろ暗そうだということを除いては）納得できる説明は付加されていません。

委託業務の発注は通常、発注担当者が勝手にできるわけではありません。一定の社内手続きがあり、そこには複数の人が関与します。したがって、正規のルートを飛ばして上層部に訴えるというのは、一般にその組織に意図せぬ範囲の影響を与えます。いずれにせよ、ブラウンの訴えは結果として上層部に受け入れられたというのですから、そこには何らかの重大な事情があったのでしょう。しかしながら、「当方からの合理的提案を貴社の発注担当者が受け入れない」という趣旨で取引先の上層部に直訴するような行為は、ビジネスの成功という観点からは、全くお勧めできません。

この事例は、ブラウンがジョーンズを貶めることによって、ゼフィール社の上層部に自分を売り込もうとしたかのように解釈することが可能です。そういわれれば、「ブラウンはこの契約を失いましたが、その埋め合わせに紹介してもらった仕事で何倍もの収益をあげたといいます」と教科書には書かれています。これが「高潔さに対する報酬」（上述）とされているものです。

さらに、この事例の場合、ブラウンは自営業者だったからそれで済みましたが、仮にメーカーから委託を受けた会社の社員であったらどういうことになったのでしょうか。会社が得るはずの利益を消失させたと評価される可能性があります。そして私には、その評価が不当とは思われません。

ルメジャーとシティコープタワーの危機

［事例］

建築家ルメジャーは、シティーコープという会社にビル（シティーコープタワー）の設計を依頼され、無事完成させた。その設計の独創性は高く評価されたが、ルメジャーはある学生からの問い合わせがきっかけとなって、自分の設計に見落としがあったことに気づいた。斜めからの風を計算に入れなかったため、一六年に一度程度の確率で発生するレベルの強風に対しては安全でなかったのである。ルメジャーは自分の設計ミスをタワーの所有会社に報告し、補強工事をおこなった。*4

※

ルメジャーは「わたしのエピソードで一番すばらしいのは、わたしがこの求めに応じたときにはなにもわるいことはおきなかった、ということなのです」と学生に語ったとの紹介がなされています。ここにも無遠慮な自賛があらわれ、私などは閉口します。欠陥設計の修復をしてなぜ自慢することがあるのでしょうか。欠陥に気づき事故の起きる前にそれを修理する行為は企業としてはめずらしいものではありません。そんなことは何ら賞賛に値しません。問題は、最近の諸企業の例で明らかなように、欠陥を隠して事故を起こせば大犯罪となり、それは身の破滅をもたらすという倫理以前の事実です。

それに、補強工事に際しては、（自分自身における損失はもちろんのこと）施主に多大な損害をかけたはずです。少なくとも、納期遅れは明らかでしょう。それへの対処や反省については何ら言及されていません。ここが最も重要なことなのです。この処理に困り、欠陥隠しのような犯罪が始まるのです。

スペースシャトル・チャレンジャー号爆発事故

［事例］

一九八六年一月のNASAにおけるチャレンジャーの爆発事故では、乗員七人が犠牲となり、巨額な費用のかかった機体が失われた。大統領委員会の調査で、爆発の原因は固体燃料ブースターのO（オー）リングにあったことが明らかになった。低温によりOリングの密閉機能が低下し、そこから漏出した燃料ガスに火がついて、爆発を引き起こしたのである。Oリングの問題は、かねてからNASAとサイオコール社との間で検討がなされていた。

サイオコール社の技術者ロジャー・ボイジョリーは、Oリングに関わる問題に気づき、それに取り組み、それが事故につながりかねない可能性を指摘した。彼は、行動するにあたっては、同僚や上司との信頼関係を損なわないように注意を払い、また職制上のルートを尊重しつつ上級副社長に問題を伝えた。打ち上げの当日は極端な気温の低下が予測され、NASAに対して、会社の技術担当役員がチャレンジャーの打ち上げ延期を提案し、ボイジョリー自身も低温によってOリングの機能が損なわれることを説明した。ボイジョリーはまた、Oリングの侵食の様子や自分の行動を詳細な日誌に残した。そして彼は、最後まで〔打ち上げの〕延期を提案した。しかし、NASAの管理者・技術者とサイオコール社の経営者・技術者の間には全体として、Oリングに問題があっても事故にはつながらないはずだという考えがあり、サイオコールの技術担当役員はNASAの意向を受け入れ、打ち上げに同意してしまった。結果的に事故を防ぐことはできなかったが、ボイジョリーはプロフェッショナルとしての責任を果たしたといえる。Oリング問題を記録することによって事故を避けようとした彼の努力には、米国科学振興協会から「科学の自由と責任賞」が贈られた。[*5]

※

このように紹介したあと、教科書の著者は「ボイジョリーは、プロフェッショナルの技術者の模範例です」と書いています。しかし、紹介された限りのこのボイジョリーの行動は、技術者として何ら稀なものではありません。私は、技術者はごく一部の模範的な人を除いて、こんなことすらできないのかと誤解されることを恐れます。

ところでこの教科書の著者は、「ボイジョリーは、プロフェッショナルの技術者の模範例です」と書いたあと、「しかし、」として、チャレンジャー打ち上げを通して会社内でのボイジョリーの立場が悪くなったこと、結局事故のあと記録していた資料を会社に無断で事故調査委員会に提出したため内部告発者とみなされ、退職をよぎなくされたことを紹介しています。ということは、彼について特筆すべき点は、教科書の著者が「模範例」として着目した諸行動（上記「事例」）というよりは、資料を無断で外部にもち出すという（おそらく）就業規則に違反する振る舞いのためであったと考えられます。この点を抜きにして、彼を気軽に「模範」などと呼ぶべきではありません。就業規則に反する行為は、それ自体は決して模範ではありません。私の推測によれば、彼は止むに止まれず、大変不本意なことをしたのです。

仮に、ボイジョリーが会社員としての立場を逸脱するような激しい行動を取ってチャレンジャーの打ち上げを延期させ、Oリングへの抜本的対策が導入できたとしましょう。この仮想の事例においては、技術者の責任は全うされたのです。

しかしこの場合、ボイジョリーは、未然に大事故を防いだ人という評価は得られなかったでしょう。事故は起きたかも知れないし起きなかったかも知れないのであり、多くの関係者にとっては明らかに後者だったのです。また彼は、現実にそうであった以上に、会社での立場は悪くなったでしょう。そして結局彼は、単に退職をよぎなくされただけで、米国科学振興協会から「科学の自由と責任賞」を贈られることもなく、また外国の工学倫理の教科書で「技術者の模範例です」と賞賛されることもなかったでしょう。現実の技術者が直面している問題は、むしろこちらに近いのです。

「お手本」の問題

以上の三つの事例に対する私の意見は、「〝お手本〟は存在しない」ことを前提に、「倫理的選択に関わるさまざまな要素を知り、その及ぼす可能性を考慮する」という観点から記述したものです。ここで、「〝お手本〟は存在しない」という前提は、「絶対的な価値規範（道徳律）は存在しない」という私の倫理的立場[*6]によるものですが、もっと実際的な理由もあります。

倫理的な「お手本」とは、対象となった人物を「勇気ある人」とか「英雄」として扱うことです。他方、多くの人は自分を「勇気ある人」とか「英雄」とは考えていませんので、それは「お手本」とされた人を自分とは無縁の範疇に位置づけることになってしまいます。同時に、「お手本」を認めるということで、自分の倫理的矜持は防衛することができます。しかし、「お手本」とされた人の側からすれば、これはいわばハシゴをはずされたように感じられることでしょう。重大な倫理的選択を行った人の多くは、（長い年月を経たあとのことは別として）自分の選択に何らかの悔いを残しているものです。悔いを残しているとき「お手本」扱いされたら、孤立感を深めます。「お手本」を祭り上げ、自分もそれに便乗するようなことは、ほとんど倫理的に推奨できることではありません。「お手本」は存在しない。各人は自分でそれぞれの前例をつくっていくしかないのです。

なお、私はここで、事例を「お手本」として扱うことに注意を喚起したのみです。事例の徹底した考察を否定したわけではありません。それどころか、すでに述べたことを繰り返しますが、事例の考察は「倫理的選択に関わるさまざまな要素を知り、その及ぼす可能性を考慮する」という観点から非常に有益なのです。

3　アメリカにおける倫理規程とその運用

全米プロフェッショナル・エンジニア協会（ＮＳＰＥ）

倫理規程として最もよく知られているもののひとつは全米プロフェッショナル・エンジニア協会（NSPE, National Society of Professional Engineers）の「ＮＳＰＥ倫理規程」です。プロフェッショナル・エンジニア（ＰＥ）はアメリカの州ごとに設けられている公的資格で、「公共の安全・健康・福祉に奉仕する」ために責任ある立場でエンジニアとして活動する者に要求される資格であるとされています。州ごとの制度ですが、内容の統一化の必要から、現在ではすべての州で全米試験協議会（NCEES, National Council of Examiners for Engineering and Surveying）が作成した同じ試験方法が採用されています。

ＰＥには「技術倫理」が厳しく要求されます。ＮＳＰＥでは一九五四年に倫理審査委員会（BER, Board of Ethical Review）という組織が設立されました。この委員会は、各州の協会あるいはその会員から提出された事例や質問を検討するものです。[*7] その判定の基礎はＮＳＰＥ倫理規程であり、規程を批判したり、その改定を示唆したり、あるいは根底にさかのぼって倫理上の原則や概念を分析することは避けられています。委員会は、その判定を強制するいかなる法的拘束力ももちませんが、技術者にとっては有用なガイドを提供しています[*8]。

倫理基準を遵守させるのに最も力のある組織は州の登録委員会です。ここでは、苦情のあったエンジニアを調査し、場合によってはＰＥ免許を取り消し、また州法に対する違反のかどで告発することができます[*9]。

ＮＳＰＥ倫理規程

ＮＳＰＥ倫理規程[*10]の項目を個別にみても、おそらくそれ自体で常識を超えるものはほとんど見出されません。私がみる限り、もっともで穏当な諸項目から構成されています。といっても、決してありきたりの《綺麗事》を並べたというものではなく、具体的な出来事を背景としているであろうことを彷彿させる項目も少なくありません。しかしながらＮＳＰＥ規程は、一九三〇年代以来の伝統を有するものであり、その全体における変化に着目する必要があります。

一九七四年版の倫理規程にまで遡ってみると若干様子が変わっています。第一条ｆには「技術者は、ストライキ、ピケットライン、またはその他の集団的強要行動には積極的には参加しない」という項目があり、私にはやや意外に感じられます。ほかに第三条ａには「技術者は、自らの専門職業サービスの広告をしてはならない。（後略）」とあります。あるいは、第一一条ｃは

「技術者は、競争入札の方法によって技術業の提案の要請あるいは提出をしてはならない。（後略）」、また同dは「（前略）技術者は、成功報酬ベースでの専門職報酬を要求、提案または受領してはならない」です。これらはその後の改定によって削除されたのです。

現在では、入札における「談合」が厳しく批判され、競争入札が当然のこととされています。一九七四年版での競争入札を禁止する条項は、競争入札が会員技術者の経済状態を圧迫し、それが会員の提供するサービスの質の低下につながるとの理由により存在したのです。成功報酬の規制も同様です。今日アメリカで製造物責任を問う消費者訴訟が頻発しているのは、弁護士間の過当競争により、成功報酬契約でサービスを行う弁護士が多いことが要因のひとつとされています。弁護士に比較すれば一般に技術業に要するコストは大きく、したがってサービスが不成功に終わった場合の会員の損害は大きい。広告の規制とともに、これらの条項はいわゆる「自由競争」を抑え、会員多数の利益を擁護したものでした。[*11]

しかしながら、一九七七年および七八年に広告および入札における規制を覆す最高裁判決が出され、それによる規程の大改正（一九八一年）を経て、先に述べたようにその後は競争入札禁止の条項は消え、広告および成功報酬契約の規制も事実上なくなったのです。

倫理規程の変化における一般的動向

アメリカでの専門職の倫理規程は、ＮＳＰＥ倫理規程に限らず、主として次の三つの領域において変化しつつあるとされています。第一は公衆に対する責務、第二は環境に対する責務、第三は規程に反することへの強要を拒否する根拠の提供です。[*12]

初期の頃のアメリカの倫理規程では、典型的には次のような記述がありました。「技術者は依頼人または雇用者の利益を第一の専門職の責務と考えるべきであり、したがってこの義務に反するすべての行動を回避すべきである」（一九一二年のアメリカ電気技術者協会、American Institute of Electrical Engineersにおける「原則」のひとつ）。ところが、第二次大戦後になって、たとえば一九四七年に専門職開発に関する技術者協議会（ECPD, Engineers' Council for Professional Development）は、技術者は依頼人や雇用者への義務だけではなく、公衆に対する義務も有することを認め、その規程で技術者は「公衆の安全と健康に対し当然の注意を払う」と定めました。さらに一九七四年ECPD規程は改定され、「技術者はその専門職の義務の遂行において公衆の安全、健康、および福利を最優先にしなければならない」となりました。

NSPE倫理規程でみると、一九七四年版では第二条aで「技術者は公衆の福利に対する義務を最優先に考慮する」となっています。これが一九九六年版では「I　基本的規範」（「技術者が自らの専門職業義務の遂行において、しなければならないこと」）の1に「公衆の安全、健康、および福利を最優先にする」が入り、「II　実務の原則」の1で「技術者は、公衆の安全、健康、および福利を最優先にしなければならない」と確認されています。この条項は現在の規程でも変わっていません。

第二の動向は環境に対する配慮です。二〇〇七年版以降のNSPE倫理規程ではⅢ‐2‐dに「技術者は将来世代のための環境を守ることを目的として、持続可能な開発の原則にしたがうことを奨励される」という規定があります。環境への配慮は上記の「公衆の安全、健康、および福利」に関わり、それらを最優先にするという原則に含まれると考えられるかも知れません。しかし、ここで論議の対象となっているのは、少なくとも直接的には「安全、健康、および福利」には関わらぬ（たとえば、開発のために樹齢数百年の巨木を伐採することの是非といった）問題を含むものです。

第三の動向は、倫理規程の内容というよりも、規程の位置に関わるものです。それは、専門職倫理規程は、依頼人や雇用者、あるいはその代理人などから倫理規程に違反するよう強要された場合でも、規程を遵守することが正当であるという根拠を提供するようになっているということです。これは組織に所属する技術者にとっては、「組織の論理」よりも専門職倫理規程を優先させるべきことを意味しています。

これに関連して注目されるのは、二〇〇二年版以降のNSPE倫理規程Ⅱ‐1‐eに「技術者は個人あるいは企業による技術の違法な実施を助けあるいは教唆してはならない」と規定されていることです。違法行為に関与すべきでないことは、倫理規程としては定めるまでもないことのように思われます。しかしこの規定は、違法行為への関与を強要された技術者にその拒否の根拠を与えることを意図したものと解すれば、その意味が理解できます。

倫理規程の意義

日本では技術者の多くは組織に属しており、また少なくともこれまでは同じ組織に勤務し続けることが多かったので、職務遂行においては所属組織との関係が最も重要な要素でした。他方、アメリカでは技術者の流動性が比較的に高く、したがって専門職集団が利益共同体としての意味をもったものと思われます。そのため専門職倫理規程は、会員相互における秩序や利益維持をめざす側面を有しており、かつて存在した競争入札や広告・成功報酬の規制はそのあらわれでした。同時に専門職協会は、所属組織と対立した会員を擁護するという側面も有します※。いずれにせよ、日本の技術者および科学者の学会や協会とは社会的・歴史的に異なった性格があります。

※たとえば、かつてロスアンジェルスでの地下鉄暴走事件のとき、それに関連して内部告発した技術者をアメリカ電気技術者協会が擁護するということがあったそうである。また、「アメリカの工学系学協会における技術倫理に対する関心は、西欧の伝統につながるプロフェッショナルの立場から生れたものであり、さらに、各種の人権運動の流れと呼応した弱者の権利回復のための問題意識が共通であることを見逃すわけにはいかない」との指摘がある。*13

先に触れましたが、ＮＳＰＥ倫理規程にみられるように、専門職倫理規程の諸条項は個別には常識的内容であり、また継続的な改定によってますます常識的となりつつあります。しかし、そのことで規程の存在意義が否定されることにはなりません。まずそれは体系的です。体系的であることは、それが現実に適用されるための必要条件です。そして実際、その適用に関わる問題も、たとえばNSPEにおける倫理審査委員会（BER、既出）のように、組織的に議論がなされ、また規程の改定も継続的に行われています。さらに、「倫理審査委員会見解」は文献としてまとめられ、そこには多数の事例が収録されています。すなわち、規程遵守を徹底させようとする継続的努力が規程を生かし、それによって規程は会員の日常業務におけるガイドとしての役割を果たしています。言い換えれば、すでに述べましたが、規程は単に制定されていればよいというものではありません。これは、私たちとしては、学ぶべきものです。

4　とくに注意すべき事項

技術的判断と管理的決定

スペースシャトル・チャレンジャーの事故※（三〇ページの事例参照）においては、NASAの意向を受けたサイオコール社（Morton Thiokol, Inc.）の上級副社長が、自社の技術の責任者（ボイジョリーの上司）に対して「技術者の帽子を脱ぎ、管理者の帽子をかぶる」よう要求し、これによりNASAに対する打ち上げ延期の勧告が覆ったとされています。*14 技術者たちからの提起が、マネージメントにより否定されてしまったのです。

※チャレンジャーの事故については「ロジャーズ委員会報告Rogers Commission Report」に

まとめられている：Report of the Presidential Commission on the Space Shuttle Challenger Accident, June 6, 1986. 委員長のウィリアム・ロジャーズは、ニクソン政権下で国務長官を務めた。なお、この委員会については、本書3章の1にもう少し具体的な記述がある。

技術者（専門職）による判断と管理者（マネージメント、経営者）による決定は組織上役割が異なります。組織の意思はより上位の管理者によって決定されますが、だからといって管理者の意向で技術的判断を変えてはいけないのです。管理者による意思決定は技術的判断にもとづいていなければなりませんので、管理者の意向で技術的決定が左右されては、その意思決定自体が根拠（の一部）を失います。また、結果として重大な事態が生じた場合、管理者の責任とは別に、技術者はその技術的判断に対する責任を追及されます。ここで、技術者による判断とは主として専門家としての知識に関わるもの、また管理者による決定は主として目標設定やそのための資源の配分に関わるものと分類できるでしょう。

　技術的判断と管理的決定とを区分する考えの背景をなすのは、欧米における専門職（professional）としての技術者に対する伝統的な見方です。すなわち、技術者は所属組織および専門職のそれぞれに対して、**二重**の忠誠を合わせもっているということです。専門職としての忠誠は**普遍**的であり、それは個別の所属組織への忠誠をはみ出すものです※。また、とくにアメリカでは技術者の流動性が高いので、専門職への忠誠を所属組織への忠誠に従属させたのでは、技術者としての生活が成り立ちにくくなります。他方、日本ではいまだ組織への忠誠が圧倒的ですから、技術的判断と管理的決定の区分にはとりわけ注意が必要です。とくに、組織によっては、未熟な技術者が管理者の帽子をかぶる――すなわち管理者的発想から発言する――ことで、《見識ある》技術者にみられるような事態すらあります。これでは、技術的判断はその役割を果たすことができません。

※サルトルは一九六六年の来日講演「知識人の擁護」の中で、知的技術者は個別の体制に組み込まれているが、同時に普遍性実現の代行者であり、その矛盾を負わされていることを述べた。この矛盾によって定義されるのが、彼のいう「知識人」である。[*15]

NSPE倫理規程では、「技術者は、あるプロジェクトが成功しないと思う場合、自らの依頼人または雇用者にその旨を助言しなければならない」と規定されています（Ⅲ‐1‐b）。すなわち技術者には、「できない」と言う義務があるのです。確かに、「できない」と言うと、マネージメントから否定的な評価を受ける恐れがあります。そのため、「どうすればできるのか、条件を明らかにして肯定的に答えよ」と助言されることがあります。この助言は留意に値します。しかし、永久機関の作製に類するようなことを求められたとしたら、「それはできない」と答えるのは科学を学んだものの義務です。

もちろん、技術者が極めて困難な課題に挑戦することはよくあることです。その場合、挑戦目標がコミットした目標と混同されるような曖昧な事態は、注意深く避けておく必要があります。まして、管理者に迎合し、自分でもできないことがわかっていることをできるかのように売り込み予算を獲得するような行為は、人々を欺き専門家の信頼を失墜させるものです。

なお、技術的判断と管理的決定の区分は組織運営上での原則です。両者は目的と手段の関係に対応します。すなわち、管理者（マネージメント）が決定した目的を達成するための手段が技術です。「目的のためには手段を選ばず」などといわれることはありますが、目的と手段は一体であるべきものです。一方は必ず他方によって制限を受けます。したがって、技術者と管理者の間にはこまめな意思疎通が必要です。現場での技術上の問題はこまめに管理者に報告され、可能な限りこまめに解決がなされなければなりません。これが順調に進んでいないと問題が大きくなり、場合によっては組織の存亡に関わるような事態に発展しかねません。

利益の相反

日本では、利益の相反とは、ある事実を公表すると「公衆の利益には適うが雇用者とは利益の相反が発生する」といったように用いられることがあります。しかしこれでは、「利益の相反」の重要な意味が曖昧になってしまいます。注意すべき利益の相反とは、専門職とその雇用者（あるいは依頼人）との間に生じるものです。典型的には、ある企業の購買責任者がある物品について、品質およびコストが最良とはいえないのに、自分の親族が経営している会社に発注するようなことです。あるいは、薬品を審査する公的な立場にある研究者が、当の薬品会社から研究寄付金を受領しているような場合です。

利益の相反は外見だけということもあります。上の購買責任者の例でいえば、発注先は確かに親族の経営する会社ではあるが、品質およびコストが最良であることが組織として認められている場合です。

利益の相反によって雇用者や依頼人に損失を与えることは、専門職判断の堕落です。また、利益の相反が単に外見的なものであっても、専門職サービスの公正と信用に対する公衆の信頼を低下させるおそれがあります。技術倫理では、利益の相反はすべて回避すべきことを規定しています。単に外見的な場合でも、それは開示することが要求されます。日本社会では利益の相反に関わる重大な問題が、あまりに安易に見過ごされています。

ＮＳＰＥ倫理規程では「技術者は、自らの判断または自らのサービスの質に影響しまたは影響すると見られる、すべての知られたまたは潜在的な利益の相反を、開示しなければならない」（Ⅱ-4-a）と規定され、また「技術者は、自らの専門職業の義務が、相反する利益によって影響されないようにしなければならない」（Ⅲ-5）とされています。

利益の相反は、組織内においては専門職としての技術者の多くには関係がないと考えられるかも知れません。しかし、たとえば企業の専門職が、企業の承認のもとで、社外の団体の委員に就いた場合などには注意が必要です。その委員としての判断が、自分の所属企業とその競争相手とに異なった利害を与えるとしたら、そこには利益の相反が存在するのです。ここで基本となるのは、専門職と、その専門職を委員に任命した団体との間の利益の相反です。

注

1　C. E. Harris, Jr., M. S. Pritchard and M. J. Rabins, *Engineering Ethics, 2nd Ed.*（2000）／（社）日本技術士会訳編『第二版　科学技術者の倫理』丸善（二〇〇二）の三九三～三九四ページに採録されている「事例四九　ある休暇」（これはこの書籍の著者の一人Pritchardの編著からの引用）の前半を参照して作成した。事例の内容は正確に再現されているが、私によるリライトはなされている。また、このPritchardによる事例には「分析」が付けられておらず、したがって次の小見出し以下の考察はすべて私の責任による。この書籍は原著の3rd Ed.（2005）に対応して訳書の第三版（二〇〇八）も刊行されているが、ここでは第二版をベースとする。「事例四九　ある休暇」は第三版には採録されていない。

2　黒田光太郎・戸田山和久・伊勢田哲治編『誇り高い技術者になろう』名古屋大学出版会（二〇〇四、第二版二〇一二）。ここでは初版をベースに考察する。第二版との対応は該当個所の注に示す。

3　『誇り高い技術者になろう』、六七～六八ページ。ここにはこの事例の出所（ロバート・マギン氏）も記されている。この事例は第二版では六六～六七ページ。

4　『誇り高い技術者になろう』、六八～七〇ページ。この事例は第二版では六七～六九ページ。

5　『誇り高い技術者になろう』、一一〇～一一五ページ。この教科書にはこの事例で参照した文献も記されている。本書での「事例」は、この教科書の記述にもとづき、ボイジョリーの行動に着目して私がまとめたものである。なお、この事例は第二版には存在しない。

6 唐木田健一『生命論』批評社（二〇〇七）、五および六章。

7 この事例と検討結果がまとめられたものとしては、National Society of Professional Engineers, *Opinions of the Board of Ethical Review*（1999）／（社）日本技術士会訳編『科学技術者倫理の事例と考察』丸善（二〇〇〇）。倫理審査委員会（BER）の設立については、同書二二九ページ。なお、この日本語版には続編も存在する：『続 科学技術者倫理の事例と考察』丸善（二〇〇四）。

8 注1の『第二版 科学技術者の倫理』、一七～一八ページ。

9 『第二版 科学技術者の倫理』、三一七～三一八ページ。

10 National Society of Professional Engineersのホームページ（https://www.nspe.org/）内には最新版の倫理規程が掲載されている〔ETHICSで検索せよ〕。なお、『科学技術者倫理の事例と考察』（注7の文献）の巻末には一九七四年版および一九九六年版規程の日本語訳が与えられている。

11 『科学技術者倫理の事例と考察』、xiiページ〔「本書の読み方（訳者による手引き）」〕。

12 『第二版 科学技術者の倫理』、一六～一七ページ。

13 『科学・社会・人間』八五号（二〇〇三）、一六～一九ページ所収、唐木田健一「個人の自立と組織の問題」の「質疑」における古谷（圭一）のコメント参照。また、同誌同号、三～一〇ページ所収、古谷圭一「科学者の職業倫理――科学史の中で考える」。

14 たとえば、『第二版 科学技術者の倫理』、四～五ページ。

15 J・P・サルトル／佐藤朔・岩崎力・松浪信三郎・平岡篤頼・古屋健三訳『知識人の擁護』人文書院（一九六七）。この講演は次の文献にも採録されている：『サルトル全集 シチュアシオンⅧ』人文書院（一九七四）。

2章　ルールを超えた場合の方法：倫「理」

1　方法

前の章では、倫理規程は重要であるけれども、「倫理」はそれだけで済んでしまうものではないことを述べました。すなわち、倫理は「答えを与える」ものではなくて「理に適った選択を見出す手段」であり、そのためには「選択に関わるさまざまな要素を知り、その及ぼす可能性を考慮する必要」があることを強調しました。

この章では「理に適う」ということに要求される項目を具体例とともに考察します。私はこの要求項目とその根拠についてはすでに別の本に書きました[*1]ので、ここではその骨子にのみ触れておきます。なお、(「はじめに」でも述べましたが）本書での「倫理」は人間関係（「倫」）におけるコトワリ（「理」）という意味で使用されています。

ある倫理的選択が理に適っているためには、その選択の背景となっている考え方が、

(a)事実と対応していること（実証性）
(b)首尾一貫していること（合理性）
(c)一般性を有すること（普遍性）

の三つの要求を満たすことが必要です。倫理的評価は、これらの要求にもとづいて行われます。この三つのうち、(b)の「首尾一貫性」の要求が一番の基本になるでしょう。(c)の「一般性」は首尾

一貫性の追求がめざすものです。また、倫理はもともと社会的諸事実に関わるものですから、(a)の「事実との対応」はその前提となります。

とはいえ、これら(a)(b)(c)があまりに常識的なので、多くの読者は疑問を感じるかも知れません。それらはもちろん重要であるが、そんなことは敢えていうまでもなく、昔からよく知られていることではないのか？　生徒・児童に対しても、主張が事実にもとづき論理的であること、首尾一貫していなければならないことは、折に触れ指導がなされているであろう。また、それらは確かに重要ではあるが、いわば必要条件に過ぎないのではないか？——私は、このような疑問とは見解を異にします。私は上記(a)(b)(c)が倫理的評価における正しさの**本質**であり、その**すべて**であって、それらにより倫理的評価は**可能**であると主張しているのです。

上記(a)(b)(c)は単なる必要条件に過ぎないという考えは、倫理を評価するための共通の基準が存在することを前提にしています。しかし、実際そのようなものは存在するのでしょうか。かつては基準として《普遍的正義》なるものの存在が想定されることもありました。しかしいまでは、そのようなものはほとんど信じられていない。あるいは信じられているにしても、それが通用するのは仲間内だけです。そこで提起されるのが、本書における方法なのです。

ここでの倫理的評価においては、評価をする側は自分の価値規範をかっこに入れ——すなわち自分の価値規範で相手の主張を評価するのではなく、**相手の主張に沿ってその主張がそれ自身として首尾一貫して**——すなわち矛盾なく——**展開されているかどう**かを検討することが特徴です。

以下ではその具体例をみます。いずれも、私が古典的事例とみなしているものです。また、そこでの考察の現在的意義も注目に値するでしょう。なお私は、ここでいう倫理的評価の観点から、これまで継続して諸媒体での報道・論説に注意を向けてきましたが、このところ以下に取り上げるような議論はほとんど目につかなくなったことに気がついています。この事実も、時代を表す問題として、ここに提起しておきます。

2　本多勝一「なぜイルカなのか」

事件

和歌山県太地町におけるイルカ漁の《惨酷さ》を描いたアメリカ映画「ザ・コーヴ」（ルイ・シホヨス監督、二〇〇九年）は、アカデミー賞長編ドキュメンタリー賞を受け、また日本国内でもさまざまな反響を引き起こしました。これに反論する映画「ビハインド・ザ・コーヴ――捕鯨問題の謎に迫る」（八木景子監督、二〇一五年）も公開され、国際的にも評価されているようです。以下で検討の対象とする出来事はやはりイルカ漁に関わるもので、一九八〇年の二月末、長崎県壱岐島勝本で起きたものです。*2

ブリやイカの好漁場をイルカに荒らされて困りはてた漁民が、イルカを包囲して海岸に追い込み、飼料などにするため囲い網に捕獲しておいた。ところが、動物愛護団体のアメリカ人、デクスター＝ロンドン＝ケイト（三六）は、この囲い網を切ったりロープをはずしたりしてイルカを逃がした。

これにより、ケイト氏は逮捕されました。そこでここでは、彼は「被告」と呼ばれることになります。

新聞記者・本多勝一は、被告を支援する三人のアメリカ人との討論、さらには被告自身からの意見聴取を通じ、問題の本質を探ります。彼によれば、「この事件は『イルカをめぐる漁民と動物愛護運動家の対決』といった表面の様相にとどまらぬ問題をはらんでいる」ようにみえます。ここで私たちは、本多が相手の主張を(a)事実にもとづき、(c)できる限りの一般性をもって、(b)首尾一貫して引き出そうとしていることに着目します。

「常識」の検討

本多はまず、保護が必要と認められる野生動物に関する一般常識を取り上げます。常識――既存の知識――は、まずは手がかりとして、非常に重要なものです。そこで、保護が必要な野生動物ですが、それらとしては一般に、

(a)人類に直接利益をもたらすもの（ツバメやマングースなど）

(b)絶滅に瀕した希少種（トキやオオサンショウウオなど）

の二つがあげられます。イルカはこれに該当するのでしょうか？

事件の起きた壱岐の場合、イルカ（バンドウ、オキゴンドウ、ハナゴンドウなど）はいずれも絶滅どころではなく、北九州一帯だけで約三〇万頭が存在すると推定されています。本多は、「海洋中のイルカ類は飽和状態にあるといってもいい」という東大・海洋研究所の水江教授の見解を引用します。すなわち、イルカは上の(b)には該当しないわけです。

一方、人類に利益をもたらすかどうかは、国や地方によって異なります。世界で最も明白にイルカから利益を得ているのは、これまで世界一大量のイルカ殺しをやってきた当の――被告の出身国の――アメリカです。これは、イルカを案内（目標）にしてマグロをとる漁法によって、イルカごと網にかけるためです。しかし、日本式マグロ漁はイルカと無関係であるし、逆に壱岐などでは、ブリやイカをめぐってイルカは人間の競争相手となります。少なくとも、日本においてはイルカは害獣であり、一部で昔から食用にしてきた点でのみ魚と同列の意味での益獣だったということになります。

いずれにしても、イルカは保護すべき野生動物の一般常識からははずれます。

なぜイルカなのか

イルカは保護すべき野生動物の対象とは考えにくい。そこで本多は、被告支援グループに対し、「なぜイルカなのか？」を問います。あとでも触れますが、この問いは非常に有効です。以下、Qは本多によります。

Q　なぜイルカなのか？

A　第一に、動物だって生きる権利がある。イルカは生きるために魚を食べなければならない。漁民にイルカを殺す権利が果たしてあるだろうか。

Q　それはそうだが、その意味ではすべての生物がしかりだ。なぜイルカを特別視するのか？ここで、本多の問いに秘めた、議論の一般化へのねらいが顕在化します。

A　事実として、イルカを殺す必然性は少ない。最近の漁法が大型化・近代化したので魚をとり過ぎて、イルカのナワバリを人間の方が侵犯したのではないか。それに沿岸の公害による海洋汚染で海の生態系を破壊した結果も考えられる。

Q　生態系の破壊は大いにあり得るとしても、それはやはり生物全体のことであって、イルカだけ特別視する理由にはならないではないか？

本多は論点を逃しません。

A　しかし、漁民があのように残酷な殺し方をするのは許しがたい。海を血で染めて、ほかのイルカの見ている中で次々と突き殺した（そして、実際そのようにしている記録映画も見せてくれた）。

Q　しかし、それなら屠殺用の「個室」を作って、一頭ずつ処理すれば殺してもよいのか？

A　……（回答なし）

回答がないのは、もっともでしょう。もし肯定的な回答――ｙｅｓ――であれば、動物（イルカ）だって生きる権利があるという彼らの主張と矛盾します。否定的に――すなわち、ｎｏと――答えれば、殺し方が残酷だからという彼らの主張の内容と矛盾する可能性が生じます。

知能

というわけで、議論は他に展開します。

Ａ　イルカは発達した脳による高い知能をもち、実にかわいい動物だ。「有害動物」とはいえない。すべての生命に同じ関心を示さなければいけないが、とくにイルカは人間に一番近い動物で知能が高いから。

「発達した脳」と「高い知能」、これこそが彼等の拠点なのであったと本多は指摘します。

Ｑ　それならば、イルカだけが特別に人間扱いされるほど「知能が高い」ことをどう証明するのか？　ウシやチンパンジーと比べても、その「知能程度」に特別視するほどの断絶があるのか？

今度は事実との対応をついているわけです。これに対して彼らはある研究論文を示します。それには、ヒト、オランウータン、イヌ、キヌザル、イルカの五種について脳ミソの大きさやシワの数などが比較してあります。本多はその具体的内容には言及していませんが、言及しても事態は変わらないでしょう。今度は、脳ミソの大きさやシワの数と知能がどういう関係にあるかを問うだけです。なお、イルカと他の動物との間に知能の断絶があるかどうかについては、被告支援グループの意見も二つに分かれたそうです。

Q　それでは断絶があるにせよないにせよ、イルカより知能程度が低ければなぜ殺してもいいことになるのか？

A　……（回答なし）

答えられないのは多分当然でしょう。彼らの議論を一般化して人間にあてはめたら、その恐ろしさは明確になります。

Q　それなら、ウシはなぜ殺されるのか？

A　家畜としてコントロールできるので殺してもよい。

Q　それなら、イルカも家畜にすれば殺してもいいのか？

A　イルカを家畜にするなんて恥ずべきことだ。

ここまでくると、論理よりも感情になってしまうと本多は感想を述べます。

被告支援グループのこのような感情を、本多はひとつの視点として、その民族の文化・歴史と結びつけます。一人のアメリカ人が日本の壱岐で網を切ったという事件はさらに大きく展開します。

「アメリカ的覇権主義」

イルカやクジラは、西欧文化圏の人々にとっては古代ギリシア・ローマ時代から神話や民話などによって親しんできた動物です。別の例としてはインドのウシがあります。インド人にとってウシは聖なる動物です。ウシを食うために牧場に囲って育てて殺すなどとんでもないことです。そこで、次の質問：

Q　もしインド人がアメリカ西部の牧場を襲ってウシの解放運動をやったら？

A　それは自由だからやればいいでしょう。

Q　いや運動だけではなくて、牧場のサクを破壊してウシを追い散らしたら？〔これは、被告が壱岐でイルカに対して行ったことと同種のことである。——引用者による注〕

A　……（回答なし）

『アメリカ合州国』[*3]の著書をもつ本多は、自分で体験的に回答をひき出しています。すなわち、そんなことをした「インド人は、まず確実に（リンチで）殺されるであろう。つまり、日本国内まででやってきてイルカの漁網を切るのはアメリカ人であって、インド人でもベトナム人でもドイツ人でもフランス人でもないところに、ひとつの問題がある」。こうして本多は、被告支援グループのあふれる「善意」の中に、政治・軍事・宗教・文化に及ぶ「アメリカ的覇権主義」をみます。覇権主義とは、強大な力によって他者を支配しようとする振る舞いや考え方のことです。

以上の討論をまとめ、本多は被告支援グループは次の三点において説得力に欠けると指摘します。

(a)知能というモノサシの妥当性

(b)そのモノサシが妥当だと仮定して、知能の低いものがなぜ救済されないのかの理由
(c)アメリカ的覇権主義

漁民の場合

本多は壱岐に行き、今度は漁民の「論理と倫理」を取材します。「これはまことに単純明快、『イルカは漁の敵であるから』に尽きる」。漁民は次の事実を指摘します：

(a)かつてのイルカは群れでやって来たからそれをやりすごせばなんとかなった。今は、操業中の各漁船の周りに分散して二、三頭ずつ〝専従〟し、かかったブリやイカをねらう。これが豊漁か不漁かを左右する最大の要因である〔漁民の生活がイルカにおびやかされている〕。

(b)〔殺さずに〕追う方法もいろいろ試みたがダメだった〔好きで殺しているのではない〕。

そして漁民は、イルカと自分たちとどちらがかわいそうかと問います。

本多は、「壱岐のイルカ」という現場――「各論」――で考える限り、漁民の主張には、被告支援グループの論理に比較して、強い説得力があると結論します。

のりこえの視点

本多は現場における各論を超え、彼のいわゆる総論へと進みます。ここでは、この事件に関する日本人一般の反応に対し、被告（の側）を擁護するのです。次にそれをまとめてみましょう。

以下、Ａは本多による回答です。

主張一　被告の属するアメリカこそ旅行バトを絶滅させ、野牛を滅ぼしたではないか。第一、アメリカが江戸時代の日本に開国を迫ったのは、捕鯨のためであった。壱岐は、かつては沿岸捕鯨で栄えたのに、アメリカなどが江戸末期から明治にかけての時代にとり尽くしたため捕鯨ができなくなった犠牲者なのだ。

Ａ　それは事実だ。しかし、昔のことだ。現在アメリカは野性動物や鯨の保護を日本よりはるかに熱心にやっている。

主張二　アメリカはイルカ式マグロ漁で日本の何倍もイルカを殺しているではないか。

Ａ　これも事実だが事態は急速に変化している。保護法の成立によって、殺されたイルカは激減している。漁法の改善、漁網の改良にも熱心だ。殺されるイルカがゼロに近づくのも遠くではなさそうだ。

主張三　イルカより人間が問題だ。アメリカの人種差別やベトナム戦争での無差別虐殺にこそ反対したらどうだ。

Ａ　それは被告たちのような自然保護の急進派にとっては意味をもたない。彼らはそれらに対し、すでに積極的に反対運動を展開している。

被告の擁護から本多はさらに日本の実態へと目を向けます。日本人には反省すべきところが何もないのか？　日本がもし、さまざまな環境問題について積極的に対処しているのであったら、壱岐のイルカについては「特別の事情」ということで、自然保護の急進派の人々にも納得されたかも知れません。しかし、実態はどうか。この事件が起きた当時、日本列島はまるで世界の公害の見本市のようになっていました。環境アセスメントの法制化も開発者側の意向が優先されたかのようでした。※野鳥保護に関しても、日本は欧米と比較して、質的にも量的にも劣った状態にあります。

※ここで考察している舞台は一九八〇年であり、この頃環境アセスメントの法制化の必要が議論されていた。環境庁（当時）は八一年、環境影響評価（アセスメント）法案を国会に提出したが、ここでの本多の示唆の通り、「公共工事の遅れや訴訟の増大を懸念する産業界や開発官庁の抵抗に遭い、八三年に廃案になった」。しかしながら、九六年になって「環境影響評価制度総合研究会」の報告書案がまとまり、「行政指導による現行制度の限界や、先進国で法制度がないのは日本だけであることを指摘し、事実上、法制化の方向を打ち出し」た。*4 環境影響評価法が国会で可決・成立し公布されたのは、結局九七年のことであった。

イルカ問題自体は確かに漁民に道理がありました。しかし、総論として日本もそれを、猛省のための動機のひとつとすべきだというのが本多の結論です。

考察の時空間的拡がり

本多の議論の進め方は、すでに述べた三つの要求項目、(a)事実との対応、(b)首尾一貫性（無矛盾性）、(c)一般性からみて、実に巧みです。とくに被告支援グループに対する「なぜイルカなのか？」という問いは、議論が散漫になることを防ぐと同時に、一般性の追求に非常に有効に作用しています。それにより彼は、相手の考え方における矛盾を顕在化させています。また、環境問題に関する本多の豊富な知識（事実）も、討論において重要な役割を果たしていることがわかります。

確認しておきたいことは、本多は被告グループに対しては、基本的に質問しかしなかったということです。彼が彼の価値観らしきものをもち出したのは、被告グループの主張は説得力に欠けることを指摘し、次いで被告の側を擁護し、そののちに環境に関する日本の現状に眼を向けたときのことです。

倫理とは世の中の事態を善・悪に分類するふるまいのことではありません。それは、理に適った選択を見出すための手段なのです。「日本人漁民によるイルカの殺戮」と「アメリカ人による漁網の破壊」を比較し、一方が善で他方が悪というような判断では、私たちは何ら得るものがないでしょう。本多は、「壱岐のイルカ」という各論に関しては、被告グループよりも漁民側の論理がより強力であるとしました。しかし彼は、総論としては、被告側の問題提起をひとつの動機として日本は猛省しなければならないと言っているのです。価値的な対立から何を学ぶかが倫理の本質なのです。

一人のアメリカ人が日本のある地方の漁民の網を切ったという事件が、本多の考察により、江戸時代末期の捕鯨やインド人のウシに関係づけられ、タテ（時間的）・ヨコ（地域的）の広範な拡がりを呈したのも重要な点です。私たち一人ひとりの倫理的選択は、このようにして、タテ・ヨコのさまざまな事象に関わるのであって、倫理における私たちの責任はこのような厚みと重みをもっているのです。

3　朝永振一郎「核抑止政策の矛盾」

「核抑止論」の考え方

「核抑止論」とは、「核兵器」という兵器によって、戦争を抑止しようとする考え方のことです。兵器とは戦闘の際に用いる器材のことですから、この考えは、最初から、著しい矛盾を含むようにみえます。実際、通常の兵器では戦争の抑止など考えることもできなかったわけです。こういう考えが出現したのは、核兵器という非常に大きな破壊力をもった兵器の存在のためです。しかし、大きな破壊力の出現によって戦争が抑止可能になるなどと考えることは、もっと大きな矛盾のようにみえます。

米ソ二大陣営対立が消滅した現在、核抑止論の矛盾と破綻はすでに明らかであるように思われます。しかしながら、それは、かなり長期にわたって、《世界平和》のための現実的な戦略の基礎になり得るとして多くの人々に信じられてきたし、いまだその信仰にしがみついている人も少なくありません。ここでは、一九六〇年代後半における朝永振一郎の考察を紹介します。[*5] 朝永とはいろいろな面で関係の深い湯川秀樹はかつて、核兵器のことを「絶対悪」と呼びました。朝永の立場もそれに極めて近いものと思われ、核抑止論は明らかに彼の意に反するものです。それにも関わらず彼がその理論の安定性を考察するのは、対決しようとする理論の中に身をおき、その首尾一貫性を追求するという方法にもとづきます。

朝永は、核抑止論が、いかなる条件のもとで安定に機能し得るのかを追求します。

核抑止の考え方は、対立する陣営のうちの一方が他方を攻撃したとして、必ずそれに対する大きな報復を受ける、ということが前提となります。これにより、攻撃を仕かけようとする側はそれを思い止まるというわけです。初期の段階では状況は比較的に単純でした。まず、核兵器をもつのが米英の陣営とソ連邦という二つの国家群だけでした。それに、競って開発されていたのは核爆弾本体だけで、その運搬手段は爆撃機に限定されていました。したがって、抑止がいかなるメカニズムで起こるのかは、比較的には考えやすかったのです。

「核抑止論」の安定性の問題

核抑止論が安定して機能するためには、対立する二つの陣営の力はほぼ均衡している必要があります。相手の先制攻撃に対する報復力が、攻撃で受けた打撃よりも小さい（と予想される）ようでは抑止の考えは成立しません。ところが、その均衡を判断できる、両陣営から信頼される第三者なるものは存在しないといってもよいでしょう。したがって、その均衡は自らが判断せねばならず、自分の方が相手よりも劣っているという恐れに常につきまとわれることになります。そこで、核兵器の質や量の増強および運搬手段の改良に関する研究が、いわゆるシーソーゲーム的に、競って行われる事態となります。ミサイルが開発され、ＩＣＢＭ（大陸間弾道弾）といった極めて高速度の運搬手段が現れると、攻撃に対する報復にもすばやい対処が必要となり、いわゆる押しボタン戦争的体制を整えることとなって、偶発戦争の危険も増大します。現実はこのように推移したのです。

この事態を前提とし、なおかつ戦争を抑止するための方法がさまざまに考えられました。たとえば、二つの陣営において、

(a)核兵器およびその運搬手段（とそれらを支える技術力）がほぼ均衡していること

(b)互いに相手のレベルを知ること

が重要だとし、それをどのように実現するかが真剣に検討されました。(a)の実現にあたり、もし現実には均衡がとれていない場合、（とくに技術力といったものを考えると）高い方を低くするのは困難なので、低い方を引き上げる必要があります。そのために双方で兵器に関する情報を交換するというアイディアが出されました。これは、上記(b)とも関連することです。相手の威力を知っていればこそ戦争を思い止まるでしょうし、相手の技術水準を知っていればこそ安心して競争を思い止まるでしょう。

しかし、この場合、相手が本当のデータをすべて開示しているかについての不信が常に残ります。もちろん、科学者による査察は可能ですが、問題は潜在的な兵器開発力です。これは非常に重要な要素なのですが、データにはなりにくいし、この種の能力は保有している当人自身が自覚していないことも多いのです。それにも関わらず、そのような潜在力は比較的短期間に兵器として顕在化することがしばしばあります。これによっても相互の不信感、不安感は増大します。したがって、情報の交換で仮に均衡が一時的につくり出されたとしても、それを安定的に継続することは困難であり、シーソーゲームの再開は不断に起こり得ると考えなければなりません。

「安定抑止論」

米ソ二国が現実にたどった道は、核兵器の威力と数を増す競争でした。これにより、双方とも、overkillingといわれるような状態、すなわち世界中の人間を皆殺しにしてもなお余りあるほどの核兵器をつくってしまったのです。しかし、これはひとつの飽和状態、つまり、これ以上量の拡大をしても無意味な状態に達したとみることができます。これを契機に事態を安定化させることが可能かも知れない。そこで登場したのが「安定抑止論」なる考え方でした。

安定抑止論のポイントは、相手の第一撃では破壊されないような堅固な、あるいは存在場所のわからない移動可能な報復基地を両陣営がつくることにあります。これにより、破壊力は相手の都市を攻撃するには十分であるが、報復基地を攻撃するには不十分であるという状況をつくり出そうというわけです。もちろん、一方の陣営が相手の報復基地を一挙に破壊できるほどの力を手に入れれば、この安定は破られます。しかし、報復基地を十分堅固に、あるいは存在場所のわからない移動可能な基地を十分な数だけつくっておけば、現在の技術力では、それを一挙に破壊することは不可能であると考えられます。

この抑止論にはさらに《特長》があります。すなわち、二国が約束などしなくとも、どちらかがこの政策をとれば他方も自発的に採用すると考えられます。この政策はどちらにも損はないし、どちらかに有利な状況をつくり出そうとしても、それは双方にとって不可能な状況にあります。現実にも、米ソ両国はこの考えに沿って動いていたようにみえます。彼らは、堅固な基地としての地下基地と、移動性基地の開発を盛んに行っていたようです。核弾頭ミサイルを装備した潜水艦はすでにたくさん存在します。これは隠密に移動可能で、しかも第一撃では破壊不可能な報復基地と見ることができます。うっかり手を出すと、どこから報復されるかわからない状況になってきたのです。これはもちろん、気味のわるい状況ではあります。しかし、一応の安定状態は成立し得るようにも思われました。それでは、それは果たして持続可能なのでしょうか。

不安定要因

核抑止論の前提には、二つの陣営の間の力の均衡がありました。ところが、核兵器の拡散という事態によって、陣営の数が増すことを考慮に入れねばならなくなったのです。たとえば、陣営が三つになると、第三の陣営が第一につくか第二につくかで均衡は完全に破られます。また、物理学においては、「二体問題」――二つの物体の間の相互作用の解析――に比較し、「三体問題」以上の「多体問題」は質的に困難度が増すことも想起されます。さらに、多くの国が核兵器を保有し、しかも移動基地があちらこちらに存在するようになると、仮に攻撃を受けても、どこに報復してよいのかわからない事態も生じ得ます。

おまけに、政策として核抑止論を検討している人々は、人間や人間集団について非常に単純化したモデルを採用しているようにみえます。たとえば、核のボタンを押さなければならないような異常事態のとき、当事国の政策決定者が常に正常でいられるのかどうかはとても重要なことに思われますが、それは考慮の外に置かれています。

それればかりではありません。技術の進展は抑止論を根底から揺るがしています。ひとつは、ABM――ICBM迎撃用ミサイル――の開発です。これは相手からの核弾頭つきミサイルを空中で撃墜してしまうもので、核による報復力を無力にする目的のものです。※

※その後一九七二年になって米ソ間でABM制限条約が締結されたが、二〇〇二年アメリカは条約から脱退した。

もうひとつは、野戦で使用できるような小型の核兵器の開発です。これは、核兵器と通常兵器の質的な差異を曖昧にします。いわば恐怖を与えない核兵器が出現した感があり、実際、核兵器を特別視し神経過敏になるのはおかしいといった議論が、これを契機に、出始めました。核抑止論は元来、恐怖の均衡をベースとしていたものですが、それは心理的に破られつつあるようにみえます。核抑止論の大義名分からすれば、「抑止の役に立たない、したがって実際に使う以外には役に立たない核兵器が現在開発されつつある」のです。※

※小型核兵器は一九六〇年代には実戦配備されたようである。アメリカは九一年に小型核兵器を含む戦術核削減を宣言し、九四年会計年度の国防権限法（国防予算）では「スプラット・ファース条項」により小型核兵器の研究と開発を禁止した。しかし、二〇〇三年五月に同条項の撤廃が上下両院で可決され、二〇〇四年会計年度国防権限法の大統領署名により、小型核兵器研究への道が開かれた。ごく最近（二〇二〇年二月）、アメリカは小型核兵器を潜水艦に実戦配備したと発表した。同国大統領トランプは、この核兵器のことを、「使いやすい核兵器」「通常戦争にも使える核兵器」と言っているそうである。

「核抑止論」の背景にある考え方

朝永らの基本的主張は、「核兵器が出現した結果、戦争の性格が基本的に変わった。世界各国が核兵器を放棄し、全面完全軍縮の実現に協力しない限り、人類破滅の危険は決してなくならない」（「科学者京都会議」の声明の湯川による要約）というものです。核抑止論はそのような考えの否定、あるいは少なくとも根拠を薄める効果を有し続けました。

朝永は、核抑止政策が絶えず変化してきたことを指摘します。そして、「このことは正に抑止という考え方に内在する矛盾のために絶えず理論や政策を修正していかねばならぬということ、いいかえると、抑止政策というものは必然的に不安定なものであるということを現わしているように私には思われる」と述べます。これは私には優れた理論家からの重要なメッセージに思われます。

同時に彼は、核抑止論の背景になっている考えを次のように定式化します。すなわち、それは、人間の行動要因から、道徳とか人類愛とか相互信頼とかをすべて捨象してしまい、人間をただ個体保存と種族保存の二つの本能だけでとらえようとするものだ、というのです。個体——国家——保存の本能があるから自己の利益は追求します。そのために、国と国との間の紛争はあり得るものとしなければなりません。しかし、種族（人類）保存の本能により、全面的破滅は避けなければならない。そこで、核兵器の使用や開発にルールを設けることになります。ただしそれは、道徳や人類愛や相互信頼がなくとも守れるものでなければならないのです。

確かに一時期、軍備拡張への指向が緩和されたようにみえることもありました。しかし、その緩和の主要因は、対立する陣営の双方において、軍備が経済を破壊あるいは破壊に近い状態にまで追い込んだことにあると思われます。すなわち、軍備が「個体保存」を脅かしたのです。そして、明らかなことは、冷戦が終わったとされる現在においても、核抑止論が、昔ながらに、あるいは姿を変え、生き残っていることです。湯川秀樹は坂本義和を引用し、平和の創造のためには対立する国家間の相互不信を相互信頼に転移する必要を訴えましたが、これは現在においても当然留意すべき課題のように思われます。[*6]

4　山本義隆「丸山真男の場合」

丸山真男教授らのアピール

山本義隆は、一九六〇年代後半から七〇年代にかけての東大闘争のただ中におけるその著書『知性の叛乱』[*7]の中で「東京大学的共同体」の論理と態度について分析し、それが法学部教授・丸山真男の著書『日本の思想』によって見事に解明できることを示しました。[※]すなわち、東大教授会は、丸山教授が鋭く批判した日本の天皇制ファシズムと酷似した構造をもっているということです。しかしながら丸山教授自身は、この自分の職場で起きている事態に何ら関心を示さず、また発言もしませんでした。

※山本は当時、東大理学系大学院博士課程の最終学年にあり、「東大闘争全学共闘会議（東大全共闘）」の代表であった。

とはいえ、丸山教授は沈黙していたばかりではありませんでした。彼は、一九六八年一一月の文学部における「団体交渉」[*8]に関し、他の数十名の教官とともに、「それはたんに理性の府としての大学にあるまじき行為であるのみならず、なによりもまず争う余地のない人権の蹂躙であ」るとアピールし、教授会に対して闘っている学生たちを非難したのです。

丸山『日本の思想』による分析

この丸山らによる非難に対して山本は、同じ『知性の叛乱』の中で、「人権の蹂躙」というけれど教授たちは学生の受けたすさまじい人権侵害に対しては何ひとつ発言しなかったという事実を具体的に指摘するとともに、「理性の府としての大学にあるまじき行為」という一節の背景にある思考は丸山教授自身の言葉をもって理解できるとして、丸山の著書『日本の思想』[*9]を引用します。次が『日本の思想』の該当部分です：

> 「よい」制度からはよい働きが、「悪い」制度からは悪い作用が必然的に流れ出るという見方の背後には、理想的な社会や制度が一つの「模範的」な状態として、いわば青写真のように静止的に想定されているからです。したがって、現実の社会悪なり政治悪はこの模範からの偶然的な、一時的な逸脱として、または「事を好む」やからが本来美しい花園を外から荒らすところに生まれると考えられがちです。ある制度の建て前がその現実の働き方いかんにかかわりなく、神聖化されるときは多かれ少なかれこうした思考法への傾斜が見られます。……
>
> しかし私たちの国では、そうした特殊の理論や陣営でなくて、もっと一般的ムードとして——それだけにあまり意識されないで——こうした形の「状態」的思考が氾濫しています。「いまは民主主義の世の中だから」とか「日本は民主主義の国である以上、この秩序を破壊す

る行動は……」といった論理が、労働運動や大衆運動に対して投げかけられる際には、多かれ少なかれこのような発想が底に流れているからなのです。（傍点は原文、二個所の「……」のうち、最初のものは引用者による原文の省略、あとのものは原文のまま）

丸山教授は、社会においては規範が固定的に想定されていて、そこからの逸脱として労働運動や大衆運動に対する非難がなされると言っているのです。しかし、先に触れましたが、丸山教授自身は文学部団交に関し、学生に向かって「理性の府としての大学にあるまじき行為」という非難をした。ということは、彼の思考においては、「理性の府」という模範的状態が静止的に想定されていることを意味するでしょう。すなわち、彼自身が彼の批判する「状態」的思考に陥っているのです。丸山教授は「ある一定の『状態』を神聖化し、それがかきみだされることに対して過敏に反応する精神傾向」というものを指摘し、「その（神聖化されたものの）信奉が強要されること」を「おそれ」ましたが[*10]、そのような一定の状態を神聖化する精神傾向は文字通り彼自身の中にも潜んでいるのです。

学問と生き方

以上を明らかにして山本は次のように書きます：

ひとたび「理性の府であること」……を絶対化した時、または肯定した時、その「神聖化された状態」の現実の機能に検討を加えることも、その中にひたっている自らの活動を対象化して批判的に見つめることも忘れてしまう。それが、「明治天皇制」の権力の「頂点」や「国体の最終細胞」※にも比すべき「東京大学」を彼が〔すなわち丸山教授が〕見ることを不可能にしたのである。（傍点は原文、〔 〕は引用者による挿入、「……」は引用者による原文の省略）

※「国体」は、一般的には国家の根本体制を意味するが、とくには神聖な天皇を中心とする国家の優越的体制を表現する際に用いられた。丸山は天皇制ファシズムを批判的に分析したが、「頂点」や「国体の最終細胞」はそこでの用語である。

ここで私が倫理的に着目した点はすでに明らかでしょう。それは検討対象の相手の思想にもとづき、相手の振る舞いを相手の価値観においてその首尾一貫性を検討するという方法です。この方法はラジカルなのです。山本は、東大執行部や関連教授会が、「学生や若手研究者の極めて当然な要求に対しても、徹頭徹尾非理性的に対処したことを、他の教官が沈黙することで是認した構造は丸山真男の例でほぼ明らかである」とし、「彼らにとっては、いわゆる学問や思想は生き方とは無関係なのだ」と批判しています。この議論は、当時の闘争学生たちに大きな影響を与えました。

5　柴谷篤弘「ネオ・アナーキズム」

科学批判

生物学者・柴谷篤弘は、科学者として科学批判を実践する中で、生態系の成り立ち、先住民族、第三世界を含む諸民族の文化への思い入れを通し、人間の多様性を評価するようになったと言います。

人間の多様性は一人の人間が直接経験できる範囲をはるかに超えています。しかし、それにも関わらず、人間の全体を何とか理解するための「知」の源泉となるものが科学であるべきであると彼は考えます。また、各個人がそのような「知」によって目を開かされていくことは、同時に、多様な人間の中において自分とは何者であるかを発見すること、すなわち自己発見であると考えることができます。自己発見に至るには自己変革が必要でしょう。そして、自己変革の結果は自己創造となるはずです。

柴谷はこのように、自己発見をもって人生の意義と認め、「ネオ・アナーキズム」なる政治的立場を選択します[*11]。そこでは、人間の多様性の尊重にもとづき、いかなる原理も最高、最上、最終の保証が与えられません。また、ひとつの可能性、ひとつの方向だけが他を無視して大きい速度で暴走することも許されません。

ネオ・アナーキズム

柴谷は、ネオ・アナーキズムが求める社会は次のようなものだといいます[*12]：

つまり多様な人々が、たがいにそれぞれの自己発見を助けあう世界では、人々はたがいに相手と自分の差を見て、相手は何者であり自分は何者であるかを理解するようになるが、その際に現れる差を恐れないという事態が、心のうちにえがかれます。そういう社会では、相手は自分のすがたを写す鏡――もとより鏡は自己ではありません――であり、その意味で自分のよき協力者ではあっても、競争相手ではない。しかもこのことは、相手と自分とが鋭くちがっておれば、それだけ明確になりやすい、という風にも考えられます。したがって、相手と自分のちがいというものは、あるがままに大切にすべきものであって、かならずしも克服の対象にはならない――そういった状況が生まれるでしょう。（傍点は原文）

こういう望ましい社会の状態をはっきりと自覚して、その状態に近づくためには、私たちはどうすればよいのか。

方法

明確なことは、自分と違う意見を他の人がもっていても、それが自分の意見と違うという理由だけで、文句をつけることはできないということです。[*13]

　そういう場合われわれのとるべき方法は、自分とちがう他の人の意見をまずはよく理解しようとつとめ、それを自分なりに理解した上で、あらためてそのような意見のなかに自己矛盾はないか、それはそれでひとつの首尾一貫した理論体系をなしているかを検討することでしょう。なぜなら、その論理が矛盾をふくんでいたならば、それを鏡として、自己の姿を映すことはできないから、そこではじめて相手の論理に異論をさしはさむことに意味が出てくるのです。ですから、逆にいえば、相手の用いている論理にもとづいて、相手の主張（の一部）の矛盾を指摘することこそ、やがてはこちら側における自己発見に通ずる道なのです。なぜなら、ほんとうに自分の意見とはちがう他の意見が、矛盾のなかにあるならば、それとは対立するはずの自分の意見のほうが望ましいだろうという論理が一応成り立つわけで、いっそう批判的に、しかしいっそうの信頼をこめて、われわれは自分自身の意見によりかかることができるからです。また当然、そうした操作をしていると、逆に自分の意見の不十分なところが見えてきて、意見をまるで変えないまでも、いろいろ補正したり考え直したりして、自分の思想を鍛え直してゆくことができるでしょう。さらにはまた、ひとの意見と自分の意見の差をはっきり理解したとき、はじめて相手の意見のなかにある矛盾が見えてくるということもあるでしょう。（傍点引用者）

この引用で私がとくに傍点で強調したところに着目して下さい。柴谷の「ネオ・アナーキズム」の方法は私のいう方法（本章の1）とは独立に提起されたものですが、同じ内容をもっています。このことは両者において確認がなされています[*14]。

飛躍

ここに述べた方法は「弁証法」と呼ばれるものに関係します。弁証法とは、柴谷によれば、人間の認識のたどる動的な飛躍の過程を言語的に定式化しようとする試みです。二つの対立する概念の関係を明確にして、その間の矛盾を克服するには、提言Aとその否定としての提言Bをともに否定し得る提言Cが求められます。このときには、ある種の論理の飛躍が要求されます。提言Cはあらかじめ定まっているのではなく、それに関わる人の創造にまかせられているように思われます。その正しさはそれに続く実践によって試されなければなりません。

柴谷の科学批判は、このような考えにもとづき、科学の外からでなくて科学の内部から、科学者の用いる論理の枠内で、科学のもつ矛盾を明らかにするという方法を採用します。注意すべきは、ひとつの思考体系の内部的な矛盾を明らかにするためにその体系特有の論理を用いることは、その論理の承認を前提とはしないということです。むしろその論理体系の全面的なのりこえのためにこそ、その体系をほんとうによく理解し、その理解にもとづいて、その体系のもつ内部的な矛盾をあばき出していくことが重要なのです。[*15]

その際の飛躍は、通常、相手の論理の内的矛盾を発見し、論証しえた途端に、われわれの上に、予期せずにふり落ちる賜(たまもの)といった形をとって、ひとつの創造的過程として個々に現れるものではないか、というようにも思われます。しかも、さきにもふれましたように、自分の側の論理を明確にしなければ相手の側の矛盾はなかなか見えてきません。ひとつの逆説のありかを明らかにし、その逆説の本質を、あたかも結晶化させるように明瞭にした途端、ひとつの飛躍によって、解が生まれるというのは、実は科学において大きなパラダイム転換が生ずるときの過程でもあるようです。

大西巨人の『神聖喜劇』

柴谷は、彼の科学批判の実践と密接に触れるものとして、大西巨人の『神聖喜劇』[*16]を評論します。この小説は極めて膨大で多様な内容を含み、それに対応して柴谷の評論も多面的です。また、彼は小説の主人公と著者・大西に大いに自己の心情を投影しているようにみえます。ここでは、《ネオ・アナーキズム的方法》に関わる部分に限定し、柴谷による評論を紹介します。

『神聖喜劇』は四〇〇字詰原稿用紙四七〇〇枚に及ぶ長編であり、一九八〇年四月の完成までに二五年近くの歳月を要したということです[*17]。舞台は離島対馬における「対馬要塞重砲兵連隊[※]」で、太平洋戦争が始まった一カ月後の一九四二年一月から四月までの出来事が、過去の回想を交えて語られます。

※連隊は旧陸軍のグループ編成単位のひとつ。編成単位は、大きいほうから、師団・旅団・連隊・大隊・中隊・小隊となる。ここで、師団は戦略単位、大隊は戦術単位といわれる。また、重砲は軽砲に対する用語で、口径の大きい大砲のことをいう。

主人公・東堂太郎は帝国大学法文学部を中退した左翼思想家（一九一九年生）で、陸軍砲兵二等兵として上記連隊に入隊します。彼は和漢欧米の典籍（書物）に通じ、それを自在に暗誦できるという設定になっています。この特技が、彼の軍隊内における闘争の武器のひとつとなります。彼は、軍隊の教育が典拠にもとづき、理屈ずくめでなされているという一面に気づき、彼自身の群を抜いた記憶力を武器として、軍隊内で用いられる論理によって軍の批判を行い、それによって軍隊内部における一種の反逆を試みます。

軍隊では「知りません」という返答は許されず、必ず「忘れました」と言わなければならないと強制された東堂は、知り得なかったことについて、知っていたことを前提とする「忘れました」を口にすることを拒否したばかりか、軍隊法規におけるその根拠となる規定を上官に要求します。この行為は、東堂がすでに軍隊法規（『軍隊内務書』、『内務規定』、『陸軍礼式令』、など）に精通していたことにもとづきます。つまり、そんな規定など、どこを探したって存在しないのです。

人は、ある物事を逆用するためには、まずその物事に精通しなければならぬはずである。（『神聖喜劇』）

彼はこの方法を用い、通常の新兵では想像もつかぬ新機軸の独創的な闘争を次々と展開します。

かりそめの立場

すでに述べましたが、相手の論理を批判するために相手の論理を用いることは、相手の論理を承認することではありません。この点も作者・大西の意図は明快であるようにみえます。たとえば、東堂らの班長である大前田軍曹が砲兵特有の数のかぞえ方（イチ、ニ、サン、ヨン、ゴ、ロク、ナナ、ハチ、……）を教育してのち、兵たちに次の問題を出します。「太閤秀吉の家来の有名な槍の達人たちのことを『なんとかのなんとか』というが、それは何か」、「相撲の手はいくつあるか」。

その答え、「賤ガ岳の七本槍（しちほんやり）」と「四十八手（しじゅうはって）」は斥けられます。そのあと兵からの珍答が続きますが、正解とはされません。そこで、罰としての鉄拳制裁――げんこつでぶん殴ろうというわけです――が始まろうとしたとき、東堂が手を挙げます。彼は『砲兵操典』の該当項目を完全に暗誦してから次のように答えます。

「これを軍隊外の事柄にかりそめに適用すれば……『賤ガ岳のナナ本槍』およびヨン十八手であります」。（『神聖喜劇』、柴谷による引用）

ここで東堂は「かりそめに」という一句をかりそめに使っているのではない、と柴谷は指摘します。そこでは、軍隊批判のために軍隊の論理を使うことも、かりそめにしているのであることが示唆されていると考えられます。読者は、ダイナミックな思考・思想を対象とした場合、この点注意深くある必要があります。

ヘーゲルの場合

私たちの方法は、自分とは異なった相手の考え方に仮に入り込むものです。この行為は、その相手の考え方の承認を前提としたものではありません。ついでながら、さきほど「弁証法」の話が出ましたので、柴谷の「ネオ・アナーキズム」からは脱線しますが、弁証法の大家（たいか）ヘーゲル（一七七〇～一八三一）の場合を紹介しておきます。

ヘーゲルの伝記作者ローゼンクランツは、次のように書いています*18：

したがって真の批評は生産的な再生産とならざるを得ないのであって、これは作品に外部から賞賛や非難をくっつけるのではなくて、作品をして自分自身の性格を語らせるものなのである。

ゲーテもツェルターとの往復書簡の中で認めているように、ヘーゲルはこういう性格描写にすばらしく精通していた。彼自身の言葉に従うと、彼は「論敵の陣営に身を置く」すべを知っていて、この論敵をそれ自身を通して反駁し、敵が全然いないところでは、攻撃したり、あくまで自分の正当さを主張することはなかったが、このような能力を用いて、ヘーゲルは他人の意見をきわめて鮮やかにありのままに描くことができた。これはひとつの天賦の才であるが、すでに以前にも述べたように、うっかりした読者が、ヘーゲルを読む場合に、彼によって批判されている相手の説を彼がただ述べているだけの個所と彼自身の見解を述べている個所とをしばしば看過して混同することがあるが、その限りでは、この才能は彼にとって厄介なものとなったわけである。(傍点は引用した本の日本語版にもとづく)

ここで、ゲーテとはあのゲーテ（一七四九～一八三二）のことです。また、ツェルター（一七五八～一八三二）は指揮者であり、ゲーテやシラーの詩の作曲家としても知られています。

方法の自覚的適用

話をもとに戻します。『神聖喜劇』の主人公・東堂太郎が上に述べたような闘争手段を用いたのは、軍隊においてだけではありませんでした。東堂の回想の中で、彼が（旧制）高校生のとき生徒主事と論争する場面が出てきます。生徒主事というのは、旧制の高等学校や専門学校で、生徒の思想善導（！）を担当した職員のことです。このとき、東堂は、相手にしゃべるだけしゃべらせ、そのとき用いられた言辞のはしばしに現れた論法を逆用して、相手の矛盾を指摘します。たとえば、生徒主事はかつて、マルクス主義の本をもつなら、それを「かじる」のではなく「精読」すべきだと言ったことがあります。同時に彼は、東堂と東堂がともに《闘争》を組んでいる生徒とを離間させようとして、その生徒が「赤化学生」であること、そしてその証拠として、その生徒がマルクス主義の本をもち、しかもそれを精読していることを告げます。これにより、生徒主事は東堂にその矛盾を指摘されるのです。

自己発見と自己変革

東堂の実践は、さまざまな階層の出身からなる彼の兵隊仲間の一部に理解され、公然と同調されるに至ります。彼はまた、「私は、この戦争に死すべきである」という虚無主義を抱いて入隊したのでしたが、この経験を通じ、「私は、この戦争を生き抜くべきである」へと具体的に転心します。そして、その転心は彼と実践を共有した多くの「戦友」たちに負っていることに気づきます。柴谷の表現によれば、東堂は軍隊批判という実践を通じ、自己発見と自己変革を経験したのです。

柴谷はとくに、東堂の「対立人物」である大前田軍曹と東堂との弁証法的関係に着目します。東堂の反軍・反逆・軍隊批判の精神は、大前田と東堂の互いの実践によって、東堂から大前田に乗り移ったかのようにみえます。小説は、大前田の単独の「反乱」ともいうべきものによってクライマックスを迎えるのです。

革命家の《保守性》

『神聖喜劇』では、大変興味深いことに、主人公東堂はもともと、好きな異性に対するように大砲というものに愛着をもっていたという設定になっています。彼は、軍隊教育の学科ではもちろんのこと、砲術の演習においても精根をこめ、非常によい成績をあげます。要するに、彼は軍隊に関わるものが本当は嫌いではなかったのだろうと想像できます。柴谷はこれを読み取り、科学批判を実践する自己の姿に重ねます。つまり、科学を批判する柴谷自身にとって、多分科学は「好きな道」なのです。

パラダイムに大きな転換をもたらした人——発見者——は、まずは古いパラダイムを足場としており、そこにおける理論的諸道具に精通しています。発見者は、それら理論的諸道具を駆使して古いパラダイムの内部矛盾を明らかにし、それをのりこえる形で新しいパラダイムを創造します。発見者の古い理論的諸道具に対するこの精通が、愛着にもとづくと考えることは一向に不自然ではありません。パラダイム転換は、旧パラダイムに対する愛着から引き起こされるという逆説的側面を有するのです。

私はこのことを「革命家の《保守性》」と呼んでいます。[19] つまり、発見者（革命家）は、後世から振り返ってみると、古いパラダイムに通じその理論的諸道具を駆使しているという理由で、とても古臭く保守的にみえるのです。

変革への展望

ネオ・アナーキズムの方法は、相手の論理の枠内で相手の論理の自己矛盾を探り出すことを特徴とします。外側から科学や軍隊を批判し、革命を通じてそれを倒しても、その代わりに押し立てられるものが同様な抑圧的役割を果たさぬという保証はありません。他方、科学批判や軍隊批判を、体制の内部で体制の論理だけを使って行うときは、その内部における人間の発見と変革を可能にする展望が開かれると柴谷は考えます。

柴谷は、大西巨人が『神聖喜劇』を離れても東堂の方法を自ら使っていることに注目します。[20] 大西は、一九八〇年に新聞紙上で渡部昇一という人物と遺伝的障害を有する子供の出産に関する論争をしましたが、そのときも相手の論理だけを用い、その内部矛盾をついています。

また柴谷は、本多勝一がルポライター鎌田慧を弁護する方法が自分のやり方と似ていることに気づいています。[21] 鎌田は著書[22]の取材方法がフェアでないと一部の評論家に批判されたのです。本多の方法については、柴谷とは独立に私も着目していました。彼については本書の2章の2ですでにその一例を見た通りです。

6 「反倫理」の生態

本節における対象の選択について

前の四つの事例では、優れた倫理的議論と私が考えたものを選択し紹介しました。本節では、「倫理」とは対になる、「反倫理」の在り方を考察したいと思います。私たちは、倫理的であるためには、反面教師としての反倫理に通じておく必要があります。なお、先に「このところは優れた倫理的議論がほとんど目につかなくなった」という趣旨を述べましたが、それとは逆に、反倫理的言説はしばしば、堂々とまかり通るようになっています。

ここで、《教材》として取り上げるのは、次の(a)(b)二人の人物です。すなわち、(a)「イザヤ・ベンダサン」氏、および(b)最初は彼・（「ベンダサン」氏）の本の出版社のオーナーとして、次いで彼・の文章の訳者として登場し、そして彼・がいつの間にかマスコミに現れなくなったとき、彼・に代わって（?）評論家として大活躍を始めた人物（山本七平氏）、の二人です。ここではこの二人を総称して〈Y氏〉と呼ぶことにします。この二人が実は同一人物であることはすでに明らかになっていますが、最終的に本人が表明したわけではありませんので、ここでは形式上、〈Y氏〉を総称として扱うことにします。なお、「ベンダサン」氏の『日本人とユダヤ人』（一九七〇）が記録的なベストセラーとなったことはよく知られています。

この本の英訳本（「原著」ではありません）[*24]の書評によれば、〈Y氏〉の出世作『日本人とユダヤ人』[*23]においては、著者イザヤ・ベンダサンは日本で生まれ育ったユダヤ人であり、この本の出版当時は合衆国に住んでいるという設定になっていたようです。

『日本人とユダヤ人』

一九七〇年に東京のあまり有名でない聖書関係専門の学術出版社から出るとすぐ、この『日本人とユダヤ人』は天井知らずのベストセラーとなった。

有名人はみなこの本を読んだ。元総理大臣の佐藤栄作氏は国会でこの本を引き合いに出した。中曽根康弘氏も、また天皇の義妹にあたる秩父宮妃殿下も、この本を話題にしていたそうである。ほとんどすべての言論誌が書評をのせ、また本書とその作者にまつわる謎の物語を掲載した。[*25]

この本の趣旨は、ユダヤ学や聖書学をもとに、ユダヤ人と日本人を比較することによって、日本人の特異性を示すことにあったと思われます。ユダヤ人が日本人を論ずるということの興味に加え、この本の依拠する知識が面白い——というより奇態なものだったので多くの人々の関心を引き付けたものと思われます。おまけに、結局この自称ユダヤ人が日本人に訴えているらしいことは、古来の伝統を守れとか、国防に備えよといった、少なくとも上記の佐藤氏や中曽根氏にとってはしごく《まっとうな》ことだったのです。

浅見定雄の観察

浅見定雄は、日本では数少ない旧約聖書学・古代イスラエル宗教史の専門家です。彼は『日本人とユダヤ人』の初版を一読し、直ちにそれが誤りと矛盾に満ちたものであることを見出しました。それは文字通り、素人のタワゴトであり、また著者が現実のユダヤ人とは考えられぬものでした。

ところが、そのうちにこの本は版を重ねてベストセラーとなり、著名な賞を受け、学者・文化人からキリスト教関係者にまで言及されるようになってきました。しかしそれでも、〈Y氏〉は浅見にとって別世界の人でした。

　だがそうこうするうち、私〔浅見〕はなにか少しずつイヤーな気持ちに襲われるようになった。キリスト教徒のはしくれとして、戦争の準備に金を使うよりは地球上から飢えた子供たちの姿を見なくする方がよほど大切だという程度の単純な考えから、一市民の資格でいろいろな運動に研究時間をさいているうち、……〈Y氏〉らが〕一見公平な評論家を装いながら、実は私たちとちょうど反対の側から、しかもあなどりがたい影響力を持ちはじめているのを肌で感じるようになったのである。[*26]（〔　〕は引用者による挿入、「……」は引用者による原文の省略）

そこで彼は、〈Y氏〉の方法とその根拠になっているユダヤ学・聖書学がいかに非常識なものかを徹底して説明することにしたのです。

『日本人とユダヤ人』は夥しい量の誤りに満ちたものであり、それがどの程度かは、多分本節での紹介をもってしてもなお読者の想像を超えるものと思われます。それについては、是非直接浅見の本で確認をいただきたい。以下に示すのは『日本人とユダヤ人』の中の主要な誤りではありません。むしろ、この本の中から任意にランダム・サンプリングした部分でこれらと同様な誤りを見出すことができるという意味での「見本」と解するのが実態に近いと思います。

なお、ここでは何か特定の倫理的選択が問題になっているわけではありませんが、それだけに、漠然とした雰囲気と流れの中で、それとなく特定の価値観を注入するという手法には注意する必要があります。

事実の誤りの例

山本書店刊『日本人とユダヤ人』の帯には、「日本人とは何なのか?」というメッセージの下に、次のような宣伝文句があります。

　全員一致の決議は無効

二千年前のユダヤ人はそう考えそう規定し、そう実行した。

なぜか?

全員一致の決議こそ最も有効

日本人は現在もこの言葉を自明のこととし、疑いを抱くものはいない。

なぜか？

何か根拠があるのか？

本書十五章のすべてが、日本人が当然のこととして少しも疑わぬ考え方・行き方を、ユダヤ人との対比の下に徹底的に検討し、解明している。

とりあえず、なかなか面白そうではあります。そこでまず、この本の第六章「全員一致の審決は無効（サンヘドリンの規定と『法外の法』）」からみてみましょう。

第六章の内容を浅見は苦労してまとめています。〈Y氏〉の文章は、すぐあとで見ますが、矛盾・憧着がはげしく、また誤りの上に誤りを重ねるという複雑なもので、文意を論理的にまとめるのは大変な作業なのです。『日本人とユダヤ人』の英訳者は、「訳者まえがき」の中で、〈Y氏〉の文章が「アリストテレス的論理になじんだ西欧の読者にはstartlingなものだ」と書いているそうですが、日本人にだって「おったまげるようなもの（訳者の遠慮を考えれば〝startling〟はこう訳してよい）」と浅見は注記しています。以下が浅見のまとめた『日本人とユダヤ人』第六章の要旨となります[*27]：

㈠　旧約聖書のミカという預言者は、神に絶対服従すること自体が罪であると言った。なぜならそれは無批判な態度であり、従って何事につけても「全員一致」を生み出す結果となるからである。

(二)　従ってミカの末裔であるユダヤ人は、「全員一致」を認めない。その代わり決まったことは絶対守る。

(三)　これに対して日本人は、何事につけても「全員一致」が好きである。そのくせ決まったことにあまり拘束されない。というのは、たとい「全員一致」でも、もし「人間性」に反しているならそれを無視しても世間が許すからである。

浅見はまず、預言者ミカは、上記(一)のようなことは言っていないことを指摘します。逆に、『ミカ書』六・八からもわかるように、「神の戒命に絶対的に従うことこそ、ミカにとって神に従うことなのである」と言います。ミカは、「富める力ある人々が、一方で貧乏人や弱い者をさんざん搾取し苦しめ、そのことで神の心を痛めておきながら、その不正の富のうちからエルサレム神殿への捧げ物をする、そのことが神を怒らせる」と言ったのです。この部分を〈Y氏〉は、神殿へ捧げ物をするという神に一心に仕える行為が神の意に反するもの、と誤読――あるいは強引に解釈――してしまったのです。捧げ物をすることは一向に神の意に反しません。不正の富を捧げることが神を怒らせるのであり、不正の富の蓄積が神の意に反することなのです。

ところが〈Y氏〉は、このミカの思想の誤読にもとづき、この思想――すなわち、神に絶対的にしたがうことが、神を信じないことになる――はユダヤ人の血肉となり、その結果、サンヘドリン※には「全員一致の議決（もしくは判決）は無効とする」という明確な規定があったというのです。

※古代ユダヤはローマ帝国によって治められていたが、一定の自治が認められていた。この自治機関がサンヘドリン（最高法院）である。「大祭司」を頂点とし七〇名の議員から構成された。上に出てきたエルサレムの「神殿」の管理・運営は、サンヘドリン幹部たちの最重要任務であった。

〈Y氏〉のミカ解釈が仮に正しいものとしても、なぜそこから「全員一致は無効」が出てくるのかは論理的に理解できません。神に絶対的にしたがうと全員一致になるということなのでしょうか。それならば、神に絶対的にしたがったユダヤの預言者たちが厳しい孤立の道を歩んだのはなぜなのでしょう。

ところで、この誤った解釈にもとづく没論理的なストーリーの展開を支えるのが、もうひとつの事実の誤りなのです。サンヘドリンには実は「全員一致は無効」なる規定は存在しなかったのです。浅見は誤りの原因を見抜いています。それは〈Y氏〉が用いたタネ本（山本書店刊、ダニエル・ロプス著『イエス時代の日常生活』）が間違っていたのです。そこには、「もしサンヘドリンが全員一致で有罪の宣告をしたときは、判決は『繰越しとなった』」（第Ⅱ巻二七頁）とあります。

浅見は関連する「タルムード」（ユダヤ教の口伝律法とその解釈の集大成）の記述を訳出して示します。まず、[*28]

死刑罪でない裁判（直訳すれば「財産の裁判」）はその日のうちに完了してよい。しかし死刑罪の裁判は、無罪のときにはその日のうちに完了してよいが、有罪のときにはその翌日に

（する）。

ここには「全員一致」という一番重要な一句がありません。翌日にするのは、サンヘドリンのメンバーからでも証人からでも、もし無罪の新しい理由が出たらそれを考慮するためです。何といっても死刑は人の生命を不可逆的に奪うのだから慎重なのです。

もうひとつ、[29]

死刑罪でない裁判では、**全員が**（被告の）有罪を主張しても無罪を主張してもよい。しかし死刑罪の裁判では、無罪の主張は**全員がしてもよいが**、有罪の主張は全員でしてはならない。（傍点は訳文の原文）

この辺が〈Y氏〉らの誤解のもとになったのかも知れません。しかし、明らかなことは、死刑以外の罪状なら全員一致でよく、また死刑罪でも無罪なら「全員一致は有効」なのです。

それでは、死刑判決はなぜ全員一致ではいけないのか。それは、被告人の生死に関わる場合には必ず誰かが弁護する側にまわるよう義務づけるためなのです。そして、一度有罪論の立場にあった人があとで無罪論に変わることは差し支えないが、その逆はいけないとも規定されています。したがって、死刑罪で有罪の場合にのみ、論理的に、全員一致が生じないのです。「以上、誤解や誤訳をするから話が混乱するだけのことで、タルムードの原典の主旨は、終始一貫、まことに明瞭である。『死刑の判定は慎重の上にも慎重に』、ただそれだけである」[30]。ミカの思想とは何の関わりもないのです。

ここまでで、上にまとめた『日本人とユダヤ人』第六章の要約（八八〜八九ページ）における㈠と㈡に含まれる事実の誤りが説明されました。㈢についてはどうか？　仮に日本人に全員一致を好む傾向があるとして、それがユダヤ人を始めとする他民族に比較して特徴的なことなのかどうかはもっとまっとうな考察が必要でしょう。

首尾一貫性の問題

『日本人とユダヤ人』の第三章は「クロノスの牙と首（天の時・地の利・人の和）」なるものです。浅見はここ（と一部は第二章）から、次の文章の組を書き抜きます[*31]：

一a　遊牧民の生き方……は全然ちがうのである。いかに積極的に勤勉に働いても家畜の数が急増するわけではない。……日本的勤勉さなど皆無だし、第一無意味である

b　パレスチナという地は、勤勉で細心なものには豊饒だが、ちょっと油断をすればすぐさま、細々と羊を飼う以外に方法のない荒蕪地になってしまう。……「働かざる者は食うべからず」で……ユダヤ人の性格を自らかえりみると、……勤勉・細心・計画性、環境の変化へのすばやい対処など――

二a　日本では……九十日という、あっという間に過ぎる期間ごとに、生活の仕方を変えて行かねばならない。……怠け者やノロマには生きて行けない世界である

b　遊牧民の世界は……最も温和なスローガンでも「追いつけ、追いこせ」であり……日本

人にはこんなスローガンは必要ではなかった——いつの時にも

三a　天の時の春夏秋冬は……おのおのひとしからず。……六十六国は六十六のかわりあり（読みにくい表記を三字変更——浅見注）。

b　時間は各人各人別であるとか、永遠とは時間が無限にのびた状態ではない、などといっても、日本人が口にすれば、いらざる小理屈である

四a　（日本人の場合）天の時を敬み、地の利にしたがふは、人間の常理也。……耕穫収芸、みな天の時にして

b　（ユダヤ人の場合）こういう世界では……「千年も一瞬もともに神の時」である

さて、以下が浅見のコメントです[32]：

一のaでは遊牧民＝ユダヤ人には日本的勤勉さなど皆無だと言い、bでは勤勉こそユダヤ人の特徴だと言う。

二のaでは「ノロマには生きて行けない」のは日本人だと言い、bでは遊牧民（当然ユダヤ人も含む）は「最も温和なスローガンでも『追いつけ、追いこせ』で」あると言う。

三のaでは日本人にとって時は住む場所によって各人各様であると言い、bでは時間が各人各様であると言っても日本人には分からないと言う。

四のaでは日本人にとって時はすべて「天（≠神）の時」であると言い、bではユダヤ人にとってこそ「千年も一瞬も」すべて「神（≠天）の時」であると言う。

「文庫本でわずか十二頁の中にこれだけ相反することを書きつらねるというのは、常人に出来るわざではない。常人なら、たとい誘導尋問にかかってもここまでひどくはならないであろう[*33]」。なお、ここでは首尾一貫性に関する問題を考察の対象としているので、たとえば、二bにおける「追いつけ、追いこせ」のスローガンが遊牧民のものではなく、日本人のものではなかったのか、といった素朴な事実に関する問題は触れずに済ますこととします。

一般性の問題

倫理の要求項目のひとつとしての「一般性」とは、事実との対応や首尾一貫性を保ったまま、思考を質的に拡大することを意味します。他方、〈Y氏〉の場合は、極めて特殊な例をもって一般を断定してしまうところに特徴があります。たとえば、『日本人とユダヤ人』の第五章では、一八世紀における恩田木工という人物の『日暮硯』という本を引用しつつ、日本人は今でも皆これと同じだといった議論をしています。浅見は、この手法を、日高六郎の表現を借りて、「エピソード主義」と呼んでいます。

あるいは、「(不正の富で)神殿に捧げ物をすることは神を怒らせる」という文章で、かっこの中の限定を勝手に除いてしまうのも反倫理的な一般化の別の例でしょう。一般性に関しては、ここでこれ以上例をあげ論ずることはやめます。

以上は『日本人とユダヤ人』という本に関し、(a)事実との対応、(b)首尾一貫性、(c)一般性、という倫理の要求項目の観点から、いわば形式上の考察を加えたものです。その本の主張する政治的内容については言及していません。考察を終えるにあたって一言付け加えておきたいことは、この本が全体的に醸し出す偏見のことです。とくに、第二章と第十二章は、ユダヤ人および韓国・朝鮮人に対する無神経——というより本質的差別観——が剥き出しになっているように思われます。読者は是非、浅見の論評[*34]によってそれを確認していただきたい。〈Y氏〉が、その反倫理的論法によって、何を私たちに植え付けたいのかをかなりはっきりと理解することができるように思われます。

反倫理が通用する社会

確かに〈Y氏〉がタネ本とするのは、ユダヤ学とか聖書学、あるいは極めて読む人の少ない中国や日本の古典です。したがって、事実（知識）に関する誤りは素人には気がつきにくいかも知れません。しかし、原典と照合さえすれば、〈Y氏〉の引用がいかに不正確でゆがめられたものかは、専門家でなくても容易に判定のできるものです。また、仮に原典が入手できなくても、《幸いにして》、すでにみたように〈Y氏〉の文章は矛盾だらけです。これは、注意さえすれば、誰でも容易に見て取ることができます。

たとえば、浅見は自分の学生に〈Y氏〉の著作の論評を課したところ、彼らの一人はその内容のあまりのデタラメさに憤慨し、その怒りを浅見にぶつけてきた事実を紹介しています。私自身も別の例を直接に知っています。ある企業の管理者研修のとき、講師が〈Y氏〉の著作（『人間集団における人望の研究』一九八三）を教材に指定し予習を義務づけたのです。もちろんこの講師は、浅見とは違って、この本を名著と判断して採用したのです。しかし、当日になって研修生たちは、この本の論理矛盾や特殊例を強引に一般化する論法に対し、次々と批判をしたそうです。ただ一人批判に加わらなかった研修生は、あとで、「確かに論旨は支離滅裂かも知れないが、自分はこの本から新しい知識を学んだ」と言ったそうです。実は、その知識が一番のくせものなのです※。

※あるフレーズなり文がたまたま自分のフィーリングにフィットすると、その真偽や文脈とは関わりなく、その作者を愛好するというのはよくあることのようである。この場合、その真偽や文脈を論じ出す人が現れると、「無用な詮索をするもの」として嫌悪の対象となる。

〈Y氏〉は、すでに、一九七二年に本多勝一と公開討論をすることによって[*35]、その論理的詭弁とともに、それまで曖昧であったイデオロギー的背景が明らかにされています。また、浅見の本は単行本としては一九八三年に刊行されたものですが、それにも関わらず〈Y氏〉はその後もずっと《知的》社会で健在でした。私の知る限りでも、晩年に至るまで、彼の著書は書店に大量に平積みされていました。それどころか、彼の死後は、彼の名を冠した《賞》まで出現しています。

このような人物がなぜ影響力をもって通用するのか？　私は、これは日本的思考風土に関係があるものと思っていました。もちろん、そういう面は大いにあるのでしょう。しかしその後になって、欧米でも、しかもそれなりの学問の世界でも、同じような現象があることを知りました[*36]。

7　方法への補足

「理」と「情」

本書では倫理として「理(コトワリ)」に着目しています。そのため、倫理的判断における感情の寄与を無視しているかのように思われるかも知れません。実際、「理性」と「感情」は対立的に扱われることがしばしばです。「理性的には認めざるを得ないが感情的には受け入れがたい」といった事態です。あるいはあっさり、「理屈と感情は別」などといわれることもあります。

理性も感情もヒトがその進化の過程で獲得した能力です。どちらも生きるためには不可欠であり、両者の対立は生存の危機をも構成し得るものです。またもとより、両者には密接な関係があります。

一例として、怒りという感情を取り上げてみましょう。怒りの感情自体は確かに本能的なものです。しかし人間は気まぐれに、あるいは本能にしたがって、怒るのではありません。特定の人、特定の事態を怒るのです。これは、怒りには理性が関わっていることを示唆しています。

最初ある人の行為に怒りを覚えるが、その《深い》動機を知って、怒りが称賛に変わるということがあります。あるいは逆に、最初事態に呆然としていたが、状況を分析して怒りを覚えるということもあります。これらの例は、怒りという感情が理性と密接に結びついていることを示しています。

私たちはある人の怒りをもっともと思うことがあれば、不可解なこともあります。「もっとも」ということはその怒りを「理」解できたのであり、「不可解」とは「理」解できぬということです。このように、怒りには「理」性が関わっています。

生存のためには、「理」と「情」は不可分であるべきなのです。しかしそれでも、「理性的には認めざるを得ないが感情的には受け入れがたい」という事態はあるでしょう。仮に「理」と「情」の分裂が明らかなら、その調停が必要です。

たとえば、私が自分のもつ特定の差別的感情をはっきり「いわれのないもの」と認識したとしましょう。しかしそれでも差別的感情は残ることでしょう。その場合には、その感情はいわれなきものとの前提で、自分の日常生活を積み重ねるしかありません。偏見の克服とはそういうものです。何気ない日常の学習によって身につけた偏見は、あらたな学習の積み重ねによって矯正されなければなりません。

あるいは逆に、「理」における矛盾が、不快・不安な感情として現われることがあります。この場合には自分の思考を自覚的に振り返り、その首尾一貫性を検討することになります。

考え方の転換

ここでは、首尾一貫性の要求ということで、「時が変化しても考え方を変えてはいけない」などと主張しているのではありません。それどころか、社会的諸事実は常に変化していますから、倫理は常に再構成される必要があります。ただし、その再構成による変化は、変化の「理」由とともに、首尾一貫して説明可能でなければなりません。その場限りのものは通用しません。あるいは、通用しても、その場限りのことに過ぎません。

注

1　一章の注6に既出の『生命論』。なお、その内容の基本は、私のペンネームによる著作（『戯曲アインシュタインの秘密』サイエンスハウス（一九八二）、第二幕）ですでに論じたものである。

2　以下は次の記事にもとづく：本多勝一「なぜイルカなのか」、『朝日新聞』一九八〇年五月二日夕刊、三面。この記事は、本多『ルポ短編集』朝日新聞社（一九八一）に採録されている。

3　本多勝一『アメリカ合州国』朝日新聞社（一九七〇）。

4　『朝日新聞』一九九六年五月二七日朝刊、一面。

5　以下は次の文献にもとづく：朝永振一郎「核抑止政策の矛盾」（および湯川秀樹「むすびにかえて」）、湯川秀樹・朝永振一郎・坂田昌一編著『核時代を超える』岩波書店（一九六八）所収。

6　伊東壮「国連軍縮広島会議からの報告」、『科学・社会・人間』第四二号（一九九二）、三三一～三三五ページ。

7　山本義隆『知性の叛乱』前衛社刊・神無書房発売（一九六九）、二二一～二三一ページ。

8　この出来事を含む東大闘争については、たとえば次の文献参照：唐木田健一『一九六八年には何があったのか』批評社（二〇〇四）。

9　丸山真男『日本の思想』岩波書店（一九六一）、一六八〜一六九ページ。

10　『日本の思想』、一七〇ページ。

11　柴谷篤弘『私にとって科学批判とは何か』サイエンスハウス（一九八四）、一二〜一四、一六、二三ページ。

12　『私にとって科学批判とは何か』、二三〜二四ページ。

13　『私にとって科学批判とは何か』、二八〜二九ページ。

14　柴谷篤弘ら『ネオ・アナーキズムと科学批判』リブロポート（一九八八）、七二ページ。

15　『私にとって科学批判とは何か』、三四〜三五ページ。

16　大西巨人『神聖喜劇』。この書の完成は一九八〇年である。ただ、完成といっても、その後も著者により手が入れられた。もともとは一九六〇年一〇月に『新日本文学』に掲載されたのが世に出た最初のようである。単行本は全五巻のうち第一巻および第二巻にあたる部分が一九六八〜六九年にかけて光文社「カッパ・ノベルス」として刊行され、一九七八〜八〇年には全巻が四六版全五冊として同じ光文社から出た。その後一九八二年に文春文庫、次いで一九九一〜九二年にちくま文庫に採録され、そのあとさらに光文社文庫に採録された。本書はまた、漫画化もされている：大西巨人・のぞゑのぶひさ・岩田和博『神聖喜劇（全六巻）』幻冬社（二〇〇六〜二〇〇七）。

17　大高知児編著『〝神聖喜劇〟の読み方』晩聲社（一九九二）、九二ページ。

18　K. Rosenkranz, *Georg Wilhelm Friedrich Hegel's Leben*（1844）／中埜肇訳『ヘーゲル伝』みすず書

房（一九八三）、一五五ページ。

19　唐木田健一『理論の創造と創造の理論』朝倉書店（一九九五）、二一ページ。

20　『私にとって科学批判とは何か』、五二ページ。

21　『私にとって科学批判とは何か』、七〇ページ。

22　鎌田慧『自動車絶望工場』講談社（一九八三）。これには本多勝一が解説を書いている。

23　イザヤ・ベンダサン『日本人とユダヤ人』山本書店（一九七〇）。私はこの本が最近、山本七平著として刊行されていることを承知していddる。

24　R・L・ゲージ訳でジョン・ウェザーヒルから出版されたそうである。ただし、その末尾で、この本は（同社のニューヨークの本店ではなく）「東京事務所で企画・構成・製作をしたものであることを確認する」と断っているそうである（あとの注に出現する『にせユダヤ人と日本人』、一五〇、一九五ページ）。

25　この書評はB・J・シュラクター氏によるものであり、次の注の『にせユダヤ人と日本人』の一五〇ページにその本の著者（浅見）の訳で採録されている。ここではそれを採用した。

26　浅見定雄『にせユダヤ人と日本人』朝日文庫（一九八六）、二八五ページ。

27　『にせユダヤ人と日本人』、六四ページ。

28　『にせユダヤ人と日本人』、六九ページ。

29　『にせユダヤ人と日本人』、七一ページ。

30　『にせユダヤ人と日本人』、七二ページ。

31　『にせユダヤ人と日本人』、四四～四五ページ。

32 『にせユダヤ人と日本人』、四五ページ。

33 『にせユダヤ人と日本人』、四六ページ。

34 『にせユダヤ人と日本人』、Iの二および十二。

35 本多勝一『殺す側の論理』すずさわ書店（一九七二）、一一三〜三〇四ページ。

36 藤永茂『トーマス・クーン解体新書』ボイジャー・プレス（二〇一七）。

3章

組織／社会における科学者・技術者

1　ファインマン氏、ワシントンに行く：スペースシャトル・チャレンジャー事故に関する大統領委員会

Oリング

スペースシャトル・チャレンジャーの事故（本書1章の2および4）については、リチャード・ファインマン※が実に彼らしい鋭い指摘をしています。ここでは、O（オー）リング問題を中心にそれを紹介します。[*1] ファインマンは、事故調査委員会（ロジャーズ委員会、四〇ページ参照）の委員の一人でした。

※ファインマンは、朝永振一郎（本書2章の3）およびジュリアン・シュウィンガーとともに、一九六五年度ノーベル物理学賞を受けている。

爆発の原因が固体燃料ブースターのOリングにあったということはすでに触れました（三〇ページ）。ブースターはシャトルを推進するための装置で、打ち上げ後数分でシャトルとは切り離され海に落下していきます。それはいくつかの円筒形の部品からなります。この円筒形部品どうしの接合部をシールするのがOリングです。ファインマンの表現を借りれば、それはロケットを一周する「輪ゴム」で、太さ約六ミリ、直径約三・五メートル、したがって長さは約一一メートルです。

Oリングの一般的使用例のひとつの模式図：
二つの円筒形部品AとBの接合部断面

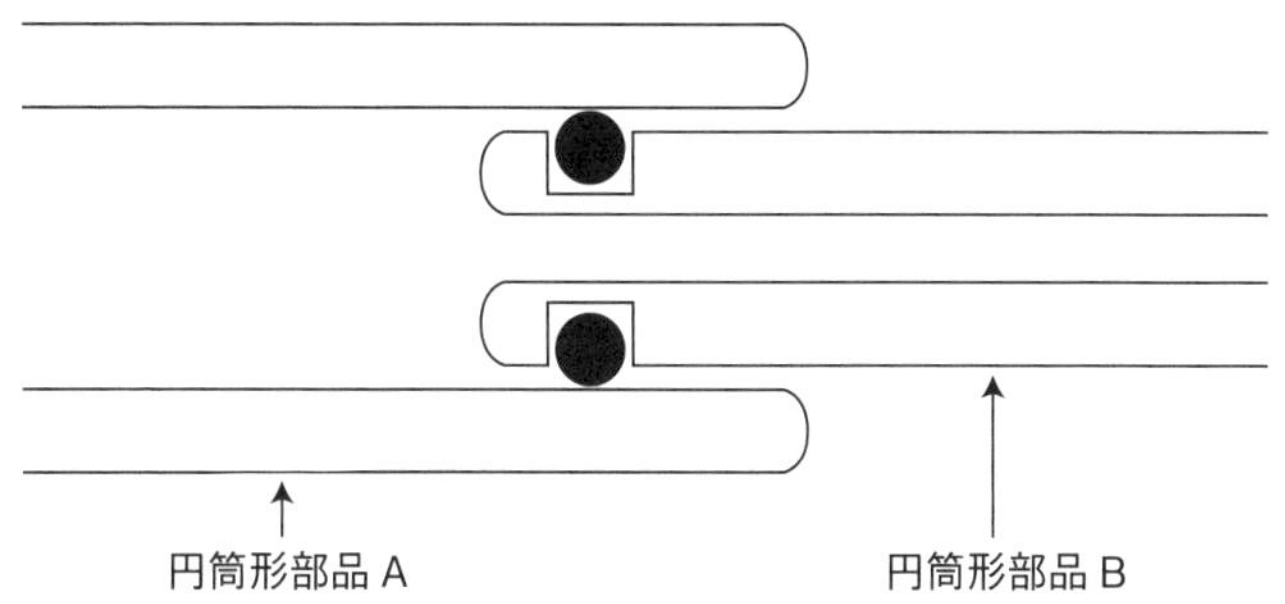

●は円筒Bを一周する1個のOリングの断面
接合部はAとBの重なる部分

スペースシャトルの場合Oリングは2個用いられており、また接合部はもっと複雑な構造である。
Oリングは通常、部品どうしの間隙が変わらないところで使用される。スペースシャトルの場合、当初は内部の圧力によってOリングには押しつぶされる方向への力が働く（したがって気密は保たれる）と予想されていたが、実際は接合部の複雑な構造のため、圧力によって接合部の間隙は増すことがわかった。

当初サイオコール社が設計した時点では、固体燃料が着火して気化する際にはブースターの内側から圧力がかかり、Oリングが押しつぶされて、シールはさらに堅固になると予想されました。しかし、実際は圧力でブースターの壁面が動き、接合部にわずかな間隙の生じることがわかりました。この現象は「接合部回転（ジョイント・ローテーション）」と呼ばれて、すでにシャトルを飛ばすよりずっと以前に発見されていたそうです。

Oリングは通常、回転軸や滑動部品があっても、部品同士の間隙は変わらない場所で使用されます。ところがシャトルの場合は、接合部は圧力によってその間隙を増していきます。Oリングはもともと力が加わって圧縮されていますから、間隙に合わせて膨張していけば、シールの機能は果たすことができると考えられます。そこで、Oリングの弾性が極めて重要になります。サイオコールの技術者は、この問題をOリングのゴム材メーカーに相談に行ったのですが、「このOリングではそのような使い方は想定していないので、助言のしようがない」という趣旨を言われたそうです。

シール問題

接合部はこのように、ほとんど最初から設計通りには働いていないことが明らかだったのですが、サイオコールでは抜本的な対策を導入することなく、「姑息な改良法」(ファインマン)で切り抜けようとしました。そのひとつは接合部に詰め物をすることでした。しかし問題は解決せず、またOリングの一部が焦げる「侵食」や、高温ガスの漏れ(「ブロー・バイ」)によりOリングのうしろが真っ黒に焦げるという現象が生じました。過去の打ち上げの一つひとつについて、浸食やブロー・バイの数を示す表もありました。

ファインマンはこのシール問題の展開がまとめられている記録を欲しましたが、それらしいのは「飛行準備検討」報告書の中にしかありませんでした。また、シャトル打ち上げから次の打ち上げまでの間にシール問題が検討されたことは一度もありませんでした。ファインマンらはその

「飛行準備検討」報告書の「概要」を調べました。そこではまず、次のように書かれていました。

・フィールド・ジョイントにおける二次シールが完全でないことは、最も危険な点である。この危険性を軽減するため、早急に接合部回転を防ぐべく改善手段を講じる必要がある。

ところが、同じ「概要」の終わりのほうでは、

・現存資料の分析によれば、全接合部を一平方インチあたり二〇〇ポンドの圧力下で点検して、漏れの有無さえ確認すれば、現設計のままシャトルを継続使用することに何ら危険は認められない。

とあります。「早急に接合部回転を防ぐべく改善手段を講じる必要がある」のに「現設計のままシャトルを継続使用することに何ら危険は認められない」というのです。ファインマンはこの矛盾にあきれています*2。

この結論は「現存資料の分析」の結果とされており、報告書を読み直してみると、さまざまな仮定のついた一種のコンピュータモデルがありました。ファインマンは「そんなものはGIGO〔（ガイゴー）garbage in, garbage out〕だ」と切り捨てています。つまり、「がらくたを入れれば、がらくたが出てくる」ということです。コンピュータモデルは正しい解を探索する手段としては有用ですが、その妥当性はもともとの仮定と入力の正しさに依存します。

シールからのガス漏れがすべての接合部で必ず起こるということであればＮＡＳＡも「これは大問題である」と考えるでしょう。しかし、シャトルによって漏れたり漏れなかったりするし、

漏れもシール部分の全部ではなく、そのうちのいくつかに生じるだけです。そこでNASAは、「少しぐらいシール漏れがあっても、シャトル飛行自体が成功に終われば、問題はそれほど深刻ではない」と決め込んだ、とファインマンは考えます。

気温の影響?

あるとき、同じロジャーズ委員会の委員の一人であるクティナ(空軍大将)からファインマンに電話がありました(ファインマンはこの人と非常に親しくなっていたのです)。一応の業務連絡が済んだあと、クティナは次の話題をもち出しました[*3]。

「実は今朝、車のキャブレターをいじっているうちにひょいと思いついたんですがね」とクティナ大将は続けて言った。

「シャトル打上げのときの気温はたしかカ氏二八度から二九度(セ氏マイナス二、二度)ぐらいでしたな。今までのシャトル打上げでは一番温度が低かったときでも五三度(セ氏十二度)です。先生は物理の教授でしょう。いったい寒さはOリングにどんな影響を及ぼすものですか?」

「ああそれならしごく簡単明瞭なことですよ。Oリングは硬くなるはずです。いやそう言われればまったくわかりきったことですな!」

そのあとは言われるまでもなかった。あとで僕がいかにも偉い発見をしたように騒ぎ立てられたが、あれはクティナ大将の考察がそもそもの手がかりになったのだ。

おどろくべき話

委員による聴取会に、マクドナルドというサイオコールの技術者が話をしたいと言ってきました。彼は正式に呼び出されたのではなく、自発的にやってきたのです。彼によると、サイオコールの技術者たちはみな不良シールの問題と低温との間には密接な関わりがあるという結論に達しており、非常に気をもんでいた。

打ち上げ前夜の検討のとき、技術者たちは、もし気温がカ氏五三度（いままでのシャトル打ち上げ時の最低温度、上述）以下だったら打ち上げは見合わせるべきだとＮＡＳＡに申し出ていた。そして、打ち上げ当日の朝の気温は二九度だった。

さらに、マクドナルドによれば、ＮＡＳＡはこれを聞いておどろき不満の意を示した。ＮＡＳＡの担当責任者は、ブロー・バイによる焦げや浸食は五三度以上の気温でも起こっているので、そんなデータは完全とは言いがたい。したがってサイオコールは考え直すべきだと主張し、その結果サイオコールはやむなく打ち上げ反対の意見を引っ込めた、とのことでした。これはおどろくべき話で、委員長のロジャーズは内容を繰り返し確認しました。また、Ｏリングのシールという技術的な問題だけでなく、マネージメントの面にまで問題があったことを知った委員たちはみな唖然としてしまいました。

ファインマン先生、会議中に実験をする

クティナから気温の問題を示唆されたあと、ファインマンはNASAに対し、低温がOリングに及ぼす影響についての資料があるかどうかを問い合わせました。NASAからは山のような書類が提出されましたが、ファインマンの役に立つものはありませんでした。そこで彼は、自分で実験してみることにしました。NASAには接合部の模型についたOリングのサンプルが二つあることがわかり、ともかくもそれを入手しました。

この日の公開会議の席上では、NASAの担当責任者がシールについて証言を始めました。この人物は、サイオコールからの打ち上げ延期提案に対し、「そんなデータは完全ではない」として再考を要求した当人です。ファインマンは模型からOリングを取り外し、それを用意しておいたクリップで締め、一同に配られた飲用のコップ入り氷水に浸けておきました。そして、証言者のスライドがふさわしいところにきたところを見計らい、その証言に対する質問およびコメントとして、机上実験の結果について発言しました。彼はクリップのついたままのOリングを差し上げ、クリップをはずしながら、「氷水に浸けておいたOリングは、クリップをはずしてももとの形には戻らないことを発見した」と報告したのです。[*4] ファイマンは実験に先立ち、証言者へのあらかじめの質問で、「Oリングがほんの一、二秒でも弾力を失ったとすると大変危険な状態になる」ということを肯定する返答を得ていました。ところがOリングは、三二度（セ氏〇度）のとき

には、一、二秒どころか、もっと長い間弾力を失うのです。

ボイジョリーら登場

別の公開の会議のときには、サイオコールの上級副社長と技術の責任者に質問が向けられました。「技術者の帽子を脱ぎ、管理者の帽子をかぶる」よう要求した人と、それにより打ち上げ延期の勧告を撤回した人の二人です（1章の4）。委員長らにより「最後まで打ち上げに反対した者は何人いたか」という質問がなされましたが、彼らは明瞭な返答をしませんでした。

ファインマンは率直に、サイオコール社内で最高のシール専門家を四人、能力順にあげてくれるよう求めました。これに対し、第一および第二としてロジャー・ボイジョリーおよびアーニー・トムソンの名があげられ、さらにもう二人の名が加えられました。ボイジョリーとトムソンはその会場にいました。ファインマンからの質問に対し、二人は「打ち上げに賛成しなかった」と答えました。他の二人は会場にいませんでした。うち一人は伝聞によれば「多分賛成」、もう一人は「意見不明」でした。ファイマンは「最も優秀なシール専門家としてすぐに名前の上がった技師は、二人とも反対だったわけですな」と言いました。[*5]

マネージメント上の問題

付け加えておきますと、私はこのファイマンのやり方は、常識的にみえますが、非常に重要であると思います。何らかの問題を解決しようとするとき、生半可な知識にもとづいてマネージメントに耳あたりのいい意見を述べる者がおり、結局そういう人のペースで方向が決まってしまうことがあります。尊重すべきは、事情によく通じた人（たち）の見解です。現場においては、関わる問題について、誰が優れていて信頼できるかということには面白いほど見解の一致があるのです。マネージメントにこういう配慮ができぬようでは、もともと管理者としての資質に問題があるのです。

また、ここでは詳細を省略しますが、ファインマンはNASAの二つの部門（ロケット組み立て部門とエンジン担当部門）において管理者と技術者の双方から聴取を行い、両者の間の意思疎通が足りないことを明らかにしています。すなわち、技術者たちの提案や見解が管理者に認識されていないということです。これも体制を含めたマネージメントの責任ということになります。ただし彼は、制御システム（ソフトウェア）部門には合格点を与えたようです。

もう一つの発見

Oリングに対する気温の影響はクティナに示唆されたものでした。これについてファインマンは、「いつもながら理論物理の教授なんぞというものは、目のつけどころを人から教えてもらわなくてはならないもので、……」などと《ひがんで》いました。ところが実は、低温になるとOリングが弾性を失うという事実はNASA内部のしかるべき場所ではすでにわかっていて、クティナはそのことをＮＡＳＡの宇宙飛行士から打ち明けられていたのだそうです。しかしＮＡＳＡはこの件について堅く口を閉ざしている。うっかりこの情報を漏らすと、その宇宙飛行士のクビが危ない。そこで思いついたのが、物理学教授を突っついてこの問題に飛びつかせることだったのです。ファインマンは彼の本のずっとあとのほうになってこの件を暴露しています。[*6]

2　西村肇「水俣病原因追究」をめぐって

水俣病

水俣病は、熊本県水俣市の水俣湾周辺地域に発生した日本の代表的「公害」です。「奇病」として類似症状の患者が多発するようになったのは一九五三年頃からであり、死亡率の高いことが注目されました。症状は視野狭窄、難聴、言語障害、動作・運動障害、手の震え、手足の痺れ、等です。

原因としては、チッソ株式会社（当時は新日本窒素肥料株式会社、一九六五年に社名変更）の水俣工場からの排液が初期の頃から着目されていました。しかし、分析は困難を極めました。一九五九年七月、熊本大学医学部を中心とする当時の文部省水俣病総合研究班は、中間報告として、この病気の原因と考えられるのは、「水俣湾でとれる魚介類にふくまれるある種の有機水銀が有力である」との見解を発表し、チッソ水俣工場による湾内汚染を指摘しました。

このあと、当の工場や日本化学工業協会、さらには通産省（当時）までを含むさまざまな組織や機関、そして学者からの反論が続きました。この中で最も有力であり、比較的に長く影響力を保ったのは、東京工業大学教授（当時）の清浦雷作による「アミン原因説」でした。すなわち、腐った魚にアミンが発生し、それを食べた漁民が中毒したというものです。政府はいくつかの省庁やその外郭団体を通じて、多くの委員会、特別部会、協議会、等を作り、そこで審議をたらい回しすることによって、結論を先送りしました。[*7] 結局、一九六八年九月になって、ようやく厚生省（当時）はチッソ水俣工場から排出されたメチル水銀化合物が原因であると断定しました。

刑事事件としては一九八八年三月、最高裁において、事件当時の社長と同・水俣工場長が業務上過失致死傷罪で有罪が確定しました。

残された謎

このように、水俣病の原因については、すでに完全に決着がついたと考えられていました。しかし、西村肇は、自然科学的には、まだ本質的な謎がそのままになっていると考えました。その謎とは、なぜあの時期に、あの場所で発生したのかという問題です。[*8]

西村は、胎児性水俣病患者の年次ごとの発生数に着目します。各患者の病気発生時期をのちになって問診で調査した場合、確かさを欠くことがありますが、胎児性患者なら発生年次は明確です。そのデータによれば、胎児性患者は、突如一九五二年に出現し、一九五六～五八年をピークとして、一九六一年からは沈静化し、一九六四年以降の発生はありません。この発生パターンを説明し得る工場側の要因としては、まずは生産量が考えられます。しかし、メチル水銀を排出したとされるアセトアルデヒド製造プロセスの生産量の推移をみても、それとは全く対応しません。生産量は、一九五二〜五三年頃はようやく戦争中の一九四〇年前後のレベルを回復しつつある時期でした。一九五二年のレベルで惨劇が生じるなら、水俣病はすでに戦中に生じていてもよいはずでした。生産量が増大するのは一九五五年以降の時期で、ピークは一九六〇〜六三年頃ですが、これは図示してみると、患者発生のパターンより五年ほど遅れています。このように、なぜこの時期に発生したのかは、いまだ解明されていなかったのです。

　また、チッソ水俣工場で採用されていた水銀を触媒とするアセチレンの水和反応は、当時国内では七社、国外でも二〇工場において実施されていました。ところが、これだけの病状を引き起こしたのは、チッソ水俣工場だけでした。確かに、昭和電工の鹿瀬（かのせ）工場も新潟水俣病を引き起こしましたが、規模は水俣ほど著しくはありません。だから、なぜ水俣で起きたのかということは謎だったのです。

　この点はそれ自体、確かに重要な問題でした。水俣病「アミン原因説」を唱えた清浦もまた、水銀の多い魚はほかの場所でも見つかっているが、そこでは水俣病は発生していないことを指摘し、水俣病と水銀は関係がないし、工場排水とも関わりがないと主張していたのです。[*9]※

※宇井純は、有機水銀説へのさまざまな反論について、「ある一時期をなるほどいろいろな意見が

あるものだ、というふうに思わせればそれでいい」とその役割を位置づけている。また、西村・岡本も同様の趣旨を記述している。[10]「さまざまな考え方がある」という相対主義的主張は、このように原因究明の足を引っ張るのである。

以上の二つの謎――なぜあの時期に、あの場所で――を解明するということは、メチル水銀の環境への放出量を経時的に明らかにし、それが患者発生のパターンと一致することを示すことです。西村は、水俣病研究センターの赤木洋勝とチッソ水俣工場の労組委員長だった岡本達明と共同で、これをなし遂げました。

アセトアルデヒド製造プロセス

アセトアルデヒドは、硫酸水溶液（一五～二五％）中にアセチレンガスを吹き込むことによる水和反応で生成します。

$$CH \equiv CH + H_2O \rightarrow CH_3CHO$$

ここでは、触媒として、二価の水銀イオン（原料としては酸化水銀あるいは硫酸水銀）が一～二g／リットルの濃度で用いられます。反応の進行によって、その相当部分は金属水銀に還元され、触媒作用を失います。そこで、それを防ぐための手段が必要になります。

そのためには通常、三価の鉄イオンを助触媒として用います。水銀イオンが還元される代わりに、ここでは鉄イオンが三価から二価に還元されますが、それは反応器とは別に設けられた酸化槽に誘導され、濃硝酸で酸化されて再び反応器に戻されます。これはドイツで開発・確立された方法であって、日本の各社はこれをそのまま導入しました。しかし、戦前のチッソは自社技術にこだわり、[*11]これに変更を加えました。すなわち、酸化剤としての濃硝酸の代わりに二酸化マンガンを直接反応母液に五％ほど加えるという方法です。通常のドイツ方式は連続操業が可能ですが、チッソはバッチ方式であり、三日に一回、反応母液（硫酸水溶液＋水銀触媒）を廃棄する必要がありました。

発生時期の解明

ここでは、西村らの結論のみを紹介します。チッソは、一九五一年八月、助触媒として二酸化マンガンを用いる独自方式をやめ、三価の鉄イオンを用いる通常の方式に変更しました。連続操業が必要となったためです。この方式の変更により、反応母液内に生成するメチル水銀の濃度が六〜七倍に増大しました。このメチル水銀がどういう機構により生じるのかは全くの謎でした。また、まずいことに、切り替え当初はトラブルが続き、目論みのような連続操業はできませんでした。このときの反応母液の平均滞留時間は、一九五一年が〇・六日、一九五二年が〇・八日、一九五三年が一・八日でした。すなわち、この頻度で大量の母液が廃棄されたのです。

環境汚染の開始から胎児性水俣病患者の発生までは、母体汚染期間と妊娠期間を考慮すれば、二年程度を要するでしょう。したがって、胎児性患者の発生は、まずはこの方式変更とそれに伴う反応母液の廃棄が原因であるということができます。また、一九六一年以降患者発生が沈静化したのは、排水処理の効果と考えられています。なお、このトラブルの主原因は、三価の鉄イオンの原料として他の工場の廃棄物の鉄を用いたためであることが西村らの研究で明らかにされています。これは、物質購入台帳を調べていて、硫酸鉄（鉄イオンの原料）の購入が一九五三年から始まっていることに不審をいだいて調べた結果です。

なぜ水俣で発生したのか

一九五四年以降は、大量の反応母液の廃棄はなくなりました。しかし、患者はその後も発生し続けました。しかも、ここで用いられているプロセスは、基本的には他社と同じ通常方式です。なぜ、水俣工場が、あのような大規模な災害を発生させたのか。ここでも西村らの結論のみを紹介します。

反応母液中のメチル水銀は、メチル水銀イオン、硫酸メチル水銀、塩化メチル水銀の形で存在します。このうち、蒸発器で気化して精留塔のドレイン（塔底液）にいく——したがって周辺海域に廃棄される——可能性のあるのは、塩化メチル水銀のみです。反応母液中のメチル水銀のうち塩化メチル水銀の占める割合は、母液の塩素イオン濃度に依存します。塩化メチル水銀の割合は塩素イオン濃度とともに増加し、一〇〇〇ｐｐｍを越えると一〇〇％に近づきます。

チッソ水俣工場の反応母液中の塩素イオン濃度は、一〇〇〇〜二〇〇〇ｐｐｍと異常に高いものでした。海岸に立地していたから、用水への塩素イオンの混入が避けられなかったのです。一方、国内の他の工場は、すべて内陸に立地しており、これが違いとなったのです。

継続の重要性

西村らの仕事をみれば、研究における継続の重要性があらためて痛感されます。この継続を支えたのは、あくなき首尾一貫性の追求でした。首尾一貫性の追求こそがデータの欠如を明らかにし、またさまざまな不整合を浮かび上がらせて、そのさらなる探究を要求するのです。このことを、西村は、次のように表現しています。[＊12]

つまり、我々は、図１（プロセス内のメチル水銀の生成から水俣病の発生までの因果関係――引用者による挿入）の全体を一つのシステムとしてとらえ、定量的な関係で結び、弱いところを強いところで補った。この総合的なアプローチが四〇年前の事件の解明に導いた。

形成されつつある理論は通常、欠陥を内包しています。たとえば、西村が取り上げた二つの謎は、「メチル水銀原因説」の欠陥です。欠陥はもちろん、理論にとっての否定的要素です。しかし、私たちはまずは、理論の首尾一貫性を追求する中で、その欠陥の意味を明らかにしていく必要があるでしょう。

水俣病研究における継続的な努力としては、西村らとは別に、熊本大学を定年退官した瀬辺恵鎧のことが報道されています。[＊13] 彼は、神戸大学に異動した元同僚の喜田村正次に実験を依頼し、彼と協力することによって、アセトアルデヒド製造工程でメチル水銀が生成することを確認しました。そして彼は、「アミン原因説」の清浦（既出）を訪問し、得られたデータを説明しました。清浦は瀬辺の仕事を認め、以降「一切の反論をやめ、自分の研究に幕を下ろしました」。清浦は、西村らの全容解明以前に、すでに説得されていたのです。

一方、努力が継続されなかった例もあります。宇井は、東京都立大学教授（当時）の半谷高久による「大変重大な発見」について言及しています。[*14] それは、水俣湾の海水の水銀濃度をそのまま測れば他の土地と大差ない結果になるが、いったん酸で分解し有機物を無機物化して測定すると、水銀濃度が一桁上昇するというものです。宇井は、この時期にこの研究をもっと進めていたら、工場から有機水銀が直接出ていたことがわかったはずだと指摘します。しかし、結果は秘密にされてしまいました。のちになって半谷は、「私は有機水銀の測定法がないとあきらめ、（経済企画庁の）協議会がうやむやのうちになくなると研究をやめた。科学の研究者としての責任を果たしていなかった」（（　）内は引用者による）と語っています。[*15]

学界の問題

西村は、日本にはおよそ五万人の応用化学の研究者がおり、事件以降発表された論文はおそらく二〇万報以上あるのに、メチル水銀の反応速度や揮発性に関する研究は一報しかなく、しかもそれはメチル水銀の反応器からの排出は全くなかったとの結論を主張する昭和電工中央研究所のものであったと述べています。彼はこれを、事件以来四〇年、日本の学界がこういう重要で基本的な問題を避けてきた結果であると断定しています。

また彼自身、東京大学工学部に在職中、「『環境の研究はいいが、公害の研究はやめるように』ときびしい圧力を受け、断念した」と告白および告発をしています。だから彼は、大学を退職して「自由の身になって」から、水俣病の研究を再開したのです。

圧力のひとつの理由は、「過去の事件の研究は工学的意味がない」というものでした。しかし西村は、「検証し得る事実がそろっている過去の謎を解くこともできずに、未来の予測ができるのだろうか」と反問しています。

なお、上に触れた昭和電工の論文も西村によって徹底的な反応工学的解析がなされ、そこからメチル水銀の生成速度と分解時間が導出されています。[*16] これは、結果として、アセトアルデヒド生成反応におけるメチル水銀生成ルートの評価に役立っています。[※]

※西村はこの仕事を、メチル水銀生成の「逆証明」と呼んでいる。すなわち、相手の実験データにおいて首尾一貫性を追求し、欠けているものを見出し、不整合（矛盾）を解決して、相手とは逆の結論を導き出したという意味である。

社会の問題

すでに述べましたが、形成されつつある理論は通常、欠陥を内包しています。係争中の問題に関わる場合、事態を政治的に支配する者は、それぞれの理論のもつ欠陥を利用することによって、ほとんど意のままに結論を誘導することができます。これは、理論の首尾一貫性を追求する努力を敢えて放棄し、欠陥を断片として扱うことによって可能となります。

このような政治的役割を果たす者は、特定の理論にコミットしているわけではないという意味で、《公正な第三者》を装います。彼らは、のちになって判断の誤りを追及されても、《当時のデータの限界》を主張することによって責任を逃れ、またこれまでの日本社会はそれを許してきたのです。「さまざまな考え方がある」という相対主義的主張は、このような《公正な第三者》を擁護する側にあります。

他方、たとえ誤った主張であるにせよ、特定の理論にコミットした科学者は《公正な第三者》よりは倫理的に**まし**です。彼らは、たとえば「アミン原因説」の清浦のように、最低限個人の名において、その主張に責任を負うことになります。

技術者の問題

チッソ水俣工場は、一九五一年八月にアセトアルデヒド製造プロセスの変更を行い、トラブルのため、一九五三年まで大量の反応母液を廃棄し続けました。水俣での《奇病》は、まさにこれに続いて多発するようになったのです。西村は、「当時の技術者にこれを自分の仕事と結びつけて何かあると直感する感性とか真剣さがあったらとくやまれる」として、彼の論文を結んでいます。[*17]

しかしながら、私の経験によれば、工場の技術スタッフはもちろん、ラインの労働者も、十分そのような感性と真剣さは有しています。彼らの扱うラインが故障や異常を示せば、彼らは思いあたることはすべて、関わりがうすいと思われることまでを含めて列挙し、その原因を追求するのです（品質管理の「特性要因図」※はまさにそのようなときの道具です）。だから私は、《奇病》の発生は当然チッソ工場の技術者たちには身に覚えのあることであるが、企業を防衛するため沈黙したものと考えました。

※特性要因図は、ある「特性」に対し、それに影響すると考えられる事項（「要因」）をすべてあげ、それらを系統的に図示したものである。ここでいえば、特性としてはたとえば、「水俣病の発生」ということになる。この図は、特性を「頭」としたときの要因の配置が魚の骨組みに似ているので、Fishbone Diagram などと呼ばれることもある。

実際、のちになっての報道機関の調査によれば、[*18]当時有機水銀説が「正しいことを確信した」チッソの技術者が存在しました。助触媒変更の指示を受けた研究担当者でした。彼は、実験室や製造工程における「奇妙な現象」や「予想もしていなかった現象」に気づき、それを病気の発生と結びつけました。彼はその件について親しい同僚に話をしたり、技術部の幹部にも「それとなく話をしたが」、会社全体は有機水銀説否定に躍起となっており、まともに相手にされませんでした。また、彼自身、幹部にはっきりと提言することはしませんでした。

私は、チッソに典型的に現れている日本企業の非公共性、閉鎖性、および暴力的な自己保身の問題については、ここでは立ち入って触れることをしません。着目したいのは、事実を知った技術者の問題です。私は、組織の中で仕事をしている人間が組織の大勢に逆らって主張することの困難や、組織の内外で進行している事態に対して自己の見出した事実の重さを評価することの困難はよく承知しています。また、水俣病は、「公害の原点」と言われているような意味において、未曾有の事件でした。だから、ここで過去に遡り、当時の技術者を断罪するようなことは適切ではないでしょう。

しかし、現在の私たちにとって、すでに問題は十分に明らかです。事実を知った技術者は、何らかの有効なアクションを採っておかないと、このような巨大な犯罪に荷担したことを生涯悔いることになるのです。

同時に、別の問題も存在するように思われます。チッソ水俣工場付属病院長の細川一は、ごく素朴な疑問として、工場排水で実際水俣病は起こるのかどうかを調べるため、一九五九年から猫を使った実験を始めました。そして、ついに猫が狂い死にすることを見出しました（有名な「四百号の猫」の実験）。しかし、その後の証言を調べたところ、技術者たちはこの細川報告をそれほど重要には感じなかったということです。[*19] もし、そうだとすれば、やはり多くの技術者は、《奇病》を自分の仕事と結びつけて考えることをしなかった――他人事――ということになります。「思考の断片化」の極みです。

3　ＪＣＯ臨界事故

作業者のモラルハザード!?

株式会社ジェー・シー・オー（ＪＣＯ）東海事業所で臨界事故が発生したのは一九九九年九月三〇日のことです。この事故は、「死者二人、被曝者六六七人余、避難者三一万人」を生み出しました。[*20]

この事故では最初、作業に「掃除用のバケツ」が用いられていたと報道されました（ただし、のちになって、掃除用ではなく専用のステンレスバケツであったと訂正されました）。科学技術庁長官（当時）の有馬朗人は「バケツでウランを取り扱うとは、日本の作業者のなんたるモラルハザードか！」と言いました。これは大きく報道され、社会には大きな衝撃を与えるとともに、作業（者）のずさんさが深く印象づけられました。また、原子力安全委員会の「事故調査委員会報告」で委員長の吉川弘之は、「株式会社ジェー・シー・オー東海事業所において起こった臨界事故は、定められた作業基準を逸脱した条件で作業者が作業を行った結果、生起したものである。従って直接の原因は全て作業者の行為にあり、責められるべきは作業者の逸脱行為である」[*21]と書きました。

二〇〇三年三月三日に水戸地方裁判所から出された判決では、法人としてのＪＣＯとその六人の社員が有罪となりました。六人のうちの四人は管理監督者、二人は事故の作業に関わった末端の社員でした。また、事故を起こした作業自体は、事故で亡くなった二人の作業者の発意であるとされました。判決に対してはＪＣＯも水戸地検も控訴せず、それは結局そのまま確定しました。

ウランの精製工程

事故が起きたのはＪＣＯの「転換試験棟」といわれる施設です。ここでは、核燃料サイクル開発機構※（以下では「サイクル機構」と略記）の高速実験炉「常陽（じょうよう）」のためのウラン燃料加工が行われていました。この施設は本来、サイクル機構が所有する「中濃縮ウラン」の酸化物粉末を精製するための工程として許可されたものでした。中濃縮ウランとは、濃縮度が約二〇％のウランのことで、濃縮度は核分裂を起こす質量数二三五のウラン（自然存在比約〇・七％）の全ウランに対する割合のことです。

※もとの動力炉・核燃料開発事業団。一九九八年に核燃料サイクル開発機構と改称した。二〇〇五年には日本原子力研究所と統合され、独立行政法人日本原子力研究開発機構となった。ＪＣＯに対する核燃料サイクル開発機構からの注文は動力炉・核燃料開発事業団から継続したものであったが、ここでは事故当時の核燃料サイクル開発機構（サイクル機構）という名称で統一する。

この施設においては、工程の最後のほうに、精製されたウランを重ウラン酸アンモニウムの結晶として析出させるための「沈殿槽」がありました。工程中この装置だけは濃縮度一〇％程度の（「薄い」）ウランの精製用でした。しかし、どういう事情かは不明ですが、これを濃縮度約二〇

％の（もっと「濃い」）ウランの精製用に転用することが許可されました。それに伴い、臨界※を避けるために、審査官は精製の全工程にウランを二・四kgしか投入してはならないという条件を加えました。これは「一バッチ縛り」といわれるものです。そのため、工程を構成する沈殿槽以外の装置（溶解塔、抽出・逆抽出塔、貯塔）も、許可条件上は、バッチ（二・四kg）ごとの処理をしなければならなくなりました。言い換えれば、形状によって臨界管理がなされている装置にも一バッチによる質量管理が導入されるという混乱が生じました。

※「臨界」とは核分裂が連鎖反応的に進行する状態（になる境界）をいう。質量数二三五のウランは一定量以上になると臨界に達し、その境目の量が臨界量である。臨界量は容器の形状によって異なり、たとえば球形であれば臨界になる量でも、一定の条件を満たす円筒や平盤の形であれば臨界にはならない。形状によって臨界を防ぐことを形状管理という。

付け加えておくと、一バッチは溶液量としては六・五リットルですが、この施設の溶解塔は四四リットル、抽出・逆抽出塔は三五リットル、貯塔は八〇リットル、そして沈殿槽は九五リットルの容量でした。これらを使って六・五リットルの溶液を扱うというのが許可条件です。この著しいバランスの悪さにも注意しておく必要があります[*22]。

工程を構成する装置はすべて連結され連続作業を前提に設計されていました。したがって、全体を「一バッチ縛り」で作業することは不可能でした。そのため、JCOでは、最初からこの条件を破って連続作業をしていました。しかし、この精製工程では、沈殿槽におけるウラン濃度は五〇g／リットルと薄く、注入される液量は五〇リットル以下であり、また沈殿させるためにアンモニアを加える作業があってそれは連続作業では不可能だったので、結果として沈殿槽に注入されるウランは「一バッチ縛り」になっていました。[*23] 他の装置は、もともと形状が管理されており、ここで使用される濃縮度では臨界の恐れはありませんでした。

再溶解・均一化の工程

これと同じ施設で行われるウラン燃料加工には、もうひとつ別の工程がありました。こちらが臨界事故を引き起こしたのです。それは、ウランの再溶解・均一化の工程でした。すなわち、精製され――不純物が除去され――たウラン酸化物の粉末（中濃縮ウラン）を硝酸に「再溶解」させ、均一な濃度の溶液（硝酸ウラニル）を製造するというものです。「再溶解」というのは、ここで用いられるウラン粉末は、先の精製工程において、硝酸に溶解されることによって精製処理がなされたものであり、それを再度硝酸に溶解させるという意味です。

すでに述べましたが、この再溶解・均一化の工程は精製工程と同一の施設内においてなされます。これは、せっかく複数の装置を経て精製された粉末を再びもとに戻すようなものです。精製装置とは、不純物を含む物質を受け入れるもので、通常それは不純物によって汚染されています。もちろん、理屈上は、装置を十分に洗浄すれば問題はありません。しかし、再溶解用に想定された装置（溶解塔）は分解洗浄が不可能で、また内部には比較的に粒子径の大きな不純物を除去するためのスクリーンがありました。そのため、徹底的に洗浄するのは困難でした。

科学技術庁（当時）による審査の際、この再溶解・均一化の工程でどのような製品を作るのかは具体的には何も決まっていませんでした。サイクル機構の「常陽」担当者から「近い将来硝酸ウラニル溶液の形態でも注文する可能性があるので、これも可能となるような申請書にしてもらいたい」という要求があって、ＪＣＯはそれにしたがったのです。そこで、審査では、どのような装置で何を作るのかは指定されることなく、大まかな「枠取り」として許可されました。これは裁判の過程で明らかになったことです。この「枠取り」を許可したのは、先に精製工程を「一バッチ縛り」で許可したのと同じ審査官でした。そして、その人物は、サイクル機構から科技庁への出向者でした。すなわち、サイクル機構からの注文を受けて作業を行うＪＣＯの工程の審査が、発注元の人物によって行われたのです。

サイクル機構からの「均一化注文」

すでに一部は明らかでしょうが、ＪＣＯ臨界事故が内包する問題は極めて多岐にわたります。ＪＣＯ内部に限定しても、ルールからの逸脱の横行（たとえば、バッチ処理すべき工程で連続作業をしていたこと、既出）や臨界に関する教育が恐ろしいほどに欠如あるいは不徹底であったことなどを始めとする諸問題があります。これらは事故以降、多くの人々によって明らかにされていますが、いまだ不可解な点のひとつに絞って論す。そこで以下では、視点を限定することになりますが、いまだ不可解な点のひとつに絞って論じることにします。すなわち、サイクル機構からの再溶解・均一化注文についてです。

サイクル機構から発注された硝酸ウラニル溶液の製造とは、具体的には、ウラン換算で一バッチ二・四kgの精製ウラン酸化物粉末を硝酸に溶解させて溶液量六・五リットルとし、輸送単位約四〇リットルを構成する六〜七バッチ分の溶液濃度を均一化するというものでした。一バッチ二・四kgという数字は、臨界を避けるための量として、すでに上（一二七ページ）に出てきたものです。サイクル機構は輸送単位四〇リットルを四リットル容器一〇本で納入するようJCOに求めました。そこで、均一化とは、この一〇本の内容を均一にすることでした。すなわち、ウランの取扱量を溶液に換算して六・五リットルに制限しつつ、四〇リットルの溶液をまとめて均一化するという注文です。

この作業への発注は一九八六年より開始されました。JCO側ではいくつかの方法を採用し製造して納入しましたが、いずれも不純物の混入、均一化の困難、あるいは作業性の悪さ、といった問題がありました。そこで、最後にいき着いたのが、沈殿槽（既出）の使用でした。この槽には攪拌機がついており、均一化には好都合でした。

一九九九年九月二九日、転換試験棟の担当者三名は、一バッチの溶液を四つ作って沈殿槽に入れました。作業は翌日の早朝に再開され、七バッチ目の溶液を沈殿槽に加えたとき、臨界となったのです。すでに述べましたが、沈殿槽は精製工程用として「一バッチ縛り」で許可されたものです。この槽は六バッチまでの投入に耐え、七バッチ目で破局に達しました。※なお、この一バッチ量の溶液を入れたステンレス容器が、報道されたあの「バケツ」です。バケツにおいて臨界になったわけではないし、またバケツによって臨界になったのでもありません。

※この場合、許容量と現実に臨界に達した量とでは六～七倍の差があるが、これは許容量には安全係数がかけられているためである。臨界管理量はアメリカの文献によるガイド（Nuclear Safety Guide 1961）があり、政府（科技庁）の許可条件はこれにもとづいたものである。

事故はこのように均一化の作業のとき起こりました。ＪＣＯはサイクル機構からのこの均一化の要求に応えるため何年にもわたって試行錯誤を繰り返しました。その最後が臨界事故でした。「業者はとにかくお客の注文に応えればよい」という意見は（通常の場合は）もっともです。しかし、それにしても、なぜ均一化が必要であったのかは、理論的にも実際的にも、いまだ極めて不可解なのです。

均一化の必要？

ＪＣＯからサイクル機構まで硝酸ウラニル溶液を輸送するにあたっては、法律にもとづき、サイクル機構は溶液の分析が義務づけられていました。その場合、ここで定められた輸送単位の四〇リットルは、「ロット」と呼ばれる製品の単位であって、同一ロットの製品は、収納容器が異なっていても、同一の溶液とみなされたようです。二〇〇二年一二月一三日付の参議院議員・福島瑞穂の「質問主意書」に対する内閣総理大臣・小泉純一郎の二〇〇三年一月七日付の「答弁書」

にもとづけば、（四〇リットルを一ロットとして、サイクル機構は）「当該分析を実施する回数を減らすことにより分析に要する時間を短縮する」ことができたとのことでした。[*24] すなわち、この場合、四〇リットルを一〇本の容器で輸送するのだから、それらが同一ロットとみなされるのであれば、分析は一〇回ではなく一回で済むことになります。そういわれれば、サイクル機構とＪＣＯとの間の「技術契約書」によれば、重量のみは「収容容器毎」に検査することになっていますが、ウラン濃度、遊離硝酸濃度、および不純物の検査は「ロット毎」でよいことになっています。[*25]

槌田敦は、濃度が均一の溶液を一〇本製造したければ、必要量の酸化ウラン粉末を化学天秤で秤量し、それを硝酸に溶かして四リットルにすることを一〇回繰り返せばよいと指摘しています。これによれば、容器による形状管理ができるし、一バッチ縛りの条件も満たしています。これに対し、弁護団の最終弁論要旨（二〇〇二年一〇月二一日）は、槌田の指摘した方法だと「濃度や不純物の量が微妙に異なることになる」と反論しました。しかし槌田は、質量と容量は極めて正確に測れるので濃度は均一となるし、不純物はすでに精製工程によってほとんど除去されていることを再指摘しています[*26]（また、私の意見を加えれば、不純物は一定値以下であればよいのであって、均一である必要は何もありません）。

クロスブレンディング

先に述べたように、この再溶解・均一化の工程は「枠取り」として許可されただけであって、いかなる装置を用いてどう均一にするのかは何も決まっていませんでした。それでは、何が「正しい」均一化の方法だったのか。

参議院議員・福島の二〇〇二年七月二五日付質問主意書に対する二〇〇二年九月一八日付内閣総理大臣の答弁書によれば、「適切な臨界管理の方法に従ったクロスブレンディング……によるものは……許可の範囲と考えられるが、それ以外の方法によるものは当該許可の範囲を逸脱している〔「……」は引用者による省略〕とのことです。[*27]

この「クロスブレンディング」なる方法は、実際にＪＣＯで行われていたものです。それは、六・五リットルの溶液を七つ調製し、それと同時に空の容器一〇本を用意して、一番目の六・五リットルの溶液からメスシリンダーで六五〇ミリリットル（十分の一）ずつを計量し、そのそれぞれを一〇本の容器に配るという作業を繰り返すものです。計算上は七〇回行うことになります。これは中腰の手作業という労働負荷の高いもので、三人の作業者の一日仕事となりました。そこで、ＪＣＯでは、別の方法の採用へと動いていったのです。

サイクル機構はどうしてこのような作業を発注したのか。槌田は、サイクル機構とＪＣＯとの間の契約書を調べ、当初は無料で契約をしていた溶液の製造単価が、年を経るにしたがって大幅に上昇していったことを見出しています。彼は、この高額の支払に関し、サイクル機構（↑旧動燃）は「住民対策として裏金が必要で、これを一部取り戻してこの裏金作りをした」のではないかと推測しています。[*28]

無意味な作業

さて、この均一化注文の不可解さについて、ここで私の見解も付け加えておきます。通常の生産現場では、出荷あるいは受入れ検査の省略は、十分な実績を積んだ上で慎重になされるものです。臨界事故に関する望月らの三省（文科省・経産省・内閣府）との交渉（二〇〇三年一二月一七日）においては、文科省からの出席者が、「クロスブレンディング後は既に〝均一〟なはず」と応えています。[*29] しかし、現実には、均一な「はず」であるとか、均一にした「つもり」では通用しません。実際、かつてＪＣＯでのクロスブレンディングに携わった人物は、裁判において、クロスブレンディングでは「苦労多くして均一化できなかった」と証言しています。したがって、サイクル機構では、実際はどうであれ、均一化したという名目が必要であったと考えられます。こういう無意味なことが通用する、あるいはこういう無意味なことが強要される仕組みは、本質的に危険です。

また、それ以前の問題として、槌田や望月も指摘していますが、仕様であろうが検査項目であろうが、許容範囲のないもの（バラツキが考慮されていないもの）はあり得ません。これは品質管理の基本です。「均一」というなら、表現方法はさまざまですが、たとえば基準濃度を一として一・〇〇±〇・〇二のように指定されるべきものです。ところが、サイクル機構とＪＣＯとの間には、このような取り決めはありませんでした。

ＮＨＫの報道番組「東海村臨界事故への道」（二〇〇三年一〇月一一日）によれば、「一バッチ縛り」と「枠取り」でＪＣＯの工程を許可したかつての審査官（サイクル機構から科技庁への出向者）は、「均一化は必要ないことであった。常陽の燃料としても必要ないし、輸送の確認申請にとっても必要無い」とインタビューに答えました。彼が審査を担当した当時、硝酸ウラニル溶液の製造は審査対象でしたが、均一化は全く考えられていなかったのです。[*30] また、望月は、「四リットルずつ一〇ヶの容器をトラック一台でＪＣＯから動燃まで輸送すると、待ちかまえていたのは形状管理された一〇〇リットル容器二本だった」という伝聞を記しています。[*31] これについては、原子力資料情報室が、サイクル機構には一〇〇リットルの受入れタンクが二個あったと紹介しています。[*32] すなわち、せっかく均一化した「はず」の一〇本の溶液は、結局は全部混ぜられてしまったのです。

マネージメントの欠如

ＪＣＯ臨界事故は、ここでの限定された視点からの考察においても、さまざまな問題を明らかにしています。ここではそのうち、ひとつの点だけを強調しておきます。それはマネージメントの欠如です。

そのことは、この節の最初に引用した科学技術庁長官（監督官庁のトップ）や事故調査委員会委員長の発言が象徴しています。マネージメントの当事者（やそのスタッフ）にマネージメント感覚が欠如していれば、「けしからんのは直接の作業者である」として、責任は末端に押しつけられることになります。

この事件には、監督官庁（科技庁）〜政府系機関（サイクル機構）〜民間企業（ＪＣＯ）の三つの独立な組織が関わっていますが、マネージメントは、この全体においても、またその個別の組織においても欠如していました。

マネージメントの欠如は、局所的な《合理性》――合法性や効率――を保つため、全体に非合理性をもたらすことに現れています。それは、個別には、連続作業を前提にした工程にバッチ処理（非連続作業）の「縛り」を導入することや、四〇リットルを均一化するために「一バッチ（＝六・五リットル）縛り」で許可された沈殿槽を用いることなどです。

局所的な《合理性》を追求することで全体に非合理性をもたらすことは、社会のさまざまな局面でしばしば生じています。

その場合、とくに実作業に近い――すなわち立場の弱い――マネージメントが自己の組織とその成員を守るためには、各マネージャーは「何のために作業が必要とされているのか」をできる限り明確にし、それを組織内で共有する必要があります。その上で理解可能となるのが、作業の達成条件とその遂行上の条件です。本件でいえば、前者はたとえばバラツキ範囲を含む製品仕様、後者は臨界を防ぐための条件がそれにあたるのですが、この事故においては、その双方がすっぽりと抜けていたのです。

4　アインシュタインの手紙と原爆

大統領宛アインシュタインの手紙

合州国大統領

F・D・ルーズベルト様

拝啓

E・フェルミとL・ジラードは彼等の最近の研究を原稿の形で私に伝えてくれました。それにより私は、ウラン元素が近い将来新しくかつ重要なエネルギー源になるであろうと考えるに至りました。現状のある面は、注意深い監視と、また場合によっては、行政の側での早急な対処を必要としているように思われます。従いまして、以下の事実と勧告に御着目いただくことは、私の義務であると信じます。

ここ四箇月の間に、フランスのジョリオおよびアメリカのフェルミとジラードの研究により、多量のウランにおいて核連鎖反応を起すことが可能となるであろうこと、また、それによって巨大な力とラジウムに似た大量の新元素が発生するであろうことが明らかにされました。近い将来、それが現実に成しとげられるであろうことは、いまやほとんど確実と思われます。

また、この新しい現象は爆弾の製造に道を開く可能性があります。確実とは言えないまでも、極めて強力な新型の爆弾がその方法で製造し得ると考えられます。この新型爆弾一個を小舟で運び、港で爆発させたとすれば、港全体とともに周辺の領域の一部をも完全に破壊することが可能でありましょう。しかしながら、その爆弾は重量がかなりありますので、空中輸送は不可能と思われます。

合州国におきましては良質なウラン鉱石はそれほど豊富ではありません。カナダと旧チェコスロバキアでは良質のウラン鉱石を産しますが、ウランの最も重要な産出国はベルギー領コンゴです。

この状況を御考慮いただければ、政府と、アメリカで連鎖反応の研究を行っている物理学者のグループとの間で永続的な接触を保つことが望ましいとお考えいただけるのではないかと思います。そのためのひとつの可能な方法は、大統領の御信任を得ており、かつ、非公式の資格で活動が可能な人物にこの任務をお託しになることであると思われます。そして、その人物の任務は次のものから成ると思われます。

(イ) 各省と連絡を保ち、今後の進展についての情報を与え、合州国のためにウラン鉱石を確保するという問題に特に注意を払いつつ政府の行動に勧告を与えること。

(ロ) この大目的に寄与する意志のある個々人と接触することにより必要に応じて資金を提供し、また、ことによったら、必要な設備を有する企業研究所の協力を得ることによって、現在大学の研究室の予算の枠にしばられつつなされている実験研究を促進すること。

ドイツは現に、占領したチェコスロバキアの鉱山からのウランの販売を禁止したと私は聞いております。ドイツがそのようなすばやい行動をしたことは、ドイツ国務次官の子息であるフォン・ヴァイツゼッカー※がベルリンのカイザー・ヴィルヘルム研究所に所属しており、そこでは、ウランに関するアメリカの研究のいくつかが現在追試されているということを考えれば理解できるものであります。

敬具

アルバート・アインシュタイン[*33]

※カール・フリートリヒ・フォン・ヴァイツゼッカー。本書5章の1に登場する西ドイツ大統領リヒアルト・フォン・ヴァイツゼッカーは彼の弟である。

手紙に対する応答

アメリカの原爆開発は、このアインシュタインの手紙――正確にはアインシュタインが署名した手紙――がきっかけであったとされています。実際にはどうであったのか。以下では藤永茂の記述[*34]を参照してその後を追ってみます。

手紙の日付は一九三九年八月二日です。広島および長崎に原爆が投下されるほぼ六年前です。この手紙がルーズベルトのところに届いたのは、日付から二カ月以上あとの一〇月一〇日です。実はこの手紙は財界人のサックスという人に託されたのですが、第二次大戦が勃発したばかりであるし「大統領はお忙しいであろう」とサックスは気兼ねして渡すのが遅れてしまったのです。アインシュタインほどの著名な科学者の手紙でも、権力者の前ではこの程度の扱いなのです。ただ、そのあとの政府の対応は早く、大統領は「ウラン諮問委員会」を設立し、一〇月二一日にはその第一回会合が開催されました。

このウラン諮問委員会に対しては中性子実験用として資金が交付されました（ウラン（質量数二三五の核種）は中性子が当たることで分裂する）。その資金の額は六〇〇〇ドルです。これはどのくらいに相当するか。一九三〇年代にオッペンハイマーはバークレーのカリフォルニア州立大学で助教授として勤務を始めますが、このときの年俸が五〇〇〇ドル前後であったとされているので、まあその程度の額です。この時点で、アインシュタインの手紙は、いわば不発に終わってしまったのです。

ひとつ付け加えておくと、実はアインシュタインが手紙に署名をする数カ月前（三九年四月）には、ウランの核分裂連鎖反応の可能性を確立する実験データが学術誌に発表公開され世界中に知れわたっていました。だから、アインシュタインは、一部の有力科学者しか知らない極秘情報を大統領に伝えたというわけではありません。実際、ちょうど「ウラン諮問委員会」に六〇〇〇ドルの予算が交付されたころ（四〇年二月）、イギリスではフリッシュとパイエルスという二人の物理学者による極秘メモが政府に伝達されました。すなわち、ウランを用いた爆弾の可能性があるということです。フリッシュはオーストリア人、パイエルスはドイツ人で、二人ともヒトラーの迫害を逃れてイギリスに亡命したユダヤ人科学者です。彼らのメモは、「アインシュタインの手紙」とは異なり、爆弾の重量や威力の見積もりを含む具体的なものでした。このメモをきっかけに、イギリス政府は有力物理学者たちを組織した「モード委員会」という名の組織を設立します。

話はイギリスにそれましたが、アメリカの原爆開発に真に影響力のあったのは、ヴァネーヴァー・ブッシュという人物に思われます。ブッシュはエンジニアリング分野でも仕事をしていますが、科学行政官として有力でした。戦後のアメリカの科学技術政策の基本となったリポートに「科学：限りなきフロンティア」（*Science: The Endless Frontier*）があります。このリポートをまとめたのがブッシュで、これは「ブッシュ・リポート」と通称されています。最近でもときどき言及されることがあります。

このブッシュは、一九四〇年六月――「アインシュタインの手紙」が事実上不発に終わってしまったあとのことですが、ルーズベルト大統領に「国防研究委員会」なるものの設置を進言し、自らその委員長になります。先の「ウラン諮問委員会」はここに吸収されました。さらにその一年後の一九四一年六月、ブッシュは今度は「科学研究開発局」の設置を大統領に進言し、自らその局長に就任します。これは戦争目的のために政府が関与する科学研究と技術開発のすべてを統合する機関で、局長は大統領に直属し軍事科学技術の全体を取り仕切る最高責任者です。

このあと、ブッシュはイギリスの「モード委員会」（上述）の最終報告書を入手し、一九四一年一〇月九日、大統領に会見を求めて副大統領のウォーレスを含む三人で会談し、イギリスのモード委員会報告の内容を伝えて、アメリカにおける原爆計画の全力推進を進言しました。もう、「アインシュタインの手紙」など、事実上何の関係もないのです。藤永は、「この一九四一年一〇月九日こそ、アメリカが原爆を製造する運命が決定された日付と考えられる」と書いています。[*35]オッペンハイマーを所長としてロスアラモス研究所が正式に発足するのは、その約一年半後の一九四三年四月のことです。

まとめれば、アメリカで原爆開発が実際に動き出したのは、ブッシュのような科学行政官による大統領への進言とイギリスからの働きかけによるものでした。アインシュタインの提言では、せいぜいが「六〇〇〇ドルの涙金」だったのです。

科学者は使用人に過ぎない

オッペンハイマーは、しばしば「原爆の父」と呼ばれます。藤永は、「あえてこの比喩に乗りつづけるとすれば、オッペンハイマーは腕のたしかな産婆の役を果たした人物にすぎない」と書いています。[*36]

あるいは、オッペンハイマーは「悪魔の手先」に見立てられることもあります。この場合、「悪魔」のほうは何となく人間とは別カテゴリーの存在として扱われるのでほうっておかれて、その手先ばかりが非難されます。しかし、オッペンハイマーたち科学者を手先に使った連中は間違いなく存在しました。つまり、直接的にはアメリカ政府とその軍です。悪魔の手先を非難するなら、それ以前・それ以上に、悪魔本体に目が向けられなければなりません。科学者など単なる使用人なのです。彼らは必要な範囲内で尊重され、その意見が傾聴されるだけです。

科学者は特殊技能をもって仕事をするので彼らを特殊扱いすることは容易です。それに科学者は、科学者でない人たちと同様、好奇心も功名心もあります。といって、ことさら科学者にのみ罪を押しかぶせることは、彼らの雇い人、たとえば政府やそれを支持する国民、さらには自分自身をも免責する行為になりかねません。

原爆開発は超巨大国家プロジェクトであり、しかも資源に恵まれ資金力のある大国でなければ遂行不可能なものでした。このようなプロジェクトに対して、科学者にのみ良心を期待しても意味がありません。現に、いまでもいわゆる「民主主義国家」の中枢において、核保有国・非保有国を問わず、核兵器で自国の優位あるいは安全を確保・維持しようとする人が少なからず存在し、またそれを支持する国民がおります。このようなとき、科学者のすべてが反核思想家になることを期待するような主張をしても意味がありません。科学者に良心を期待するより、政治家・官僚・大企業経営者に良心を強要するほうが先です。それは税金支払者の責務です。

「想像力」

他者を「想像力が欠如している」として非難する批評家たちがいます。もちろん、あとから振り返ったとき、ほんの少しの「想像力」があれば避けることができたと思われる「愚行」は少なくありません、しかし、その現実の場面では、その帰結が容易に想像できないほど人間は愚かであることもしばしばある、ということは自覚しておいたほうがよいと思います。「想像力の欠如」は、他者に対してではなく、まずは自分自身に向けられるべき警告です。

科学者たちは、ナチス・ドイツが先に原爆を保有することを恐れていました。しかし、その可能性は一九四四年一一月にほとんど消失しました。最初の核分裂実験の成功が四五年七月です。ロスアラモスの科学者たちは、ナチス敗北後にも継続して原爆を開発する意味を議論しましたが、結局は全員がそのまま仕事を継続したとされています。彼らは、広島・長崎からの報道やフィルムにより初めて、自己のなしたことの意味を悟ったのです。こういう事実を科学者の異常な知的好奇心や視野の狭さのせいにして片付けるのは極めて危険です。

藤永は、ナチス・ドイツが敗北したとき、ロスアラモスを去った科学者が少なくとも一人はいたことを記しています。[*37] それはポーランド出身のジョセフ・ロートブラットです。彼はヒトラーから世界を救うために原爆開発に参加したのですが、四四年一二月にアメリカを離れました。彼はその後、ロンドン大学の教授となり、核兵器と戦争の廃絶をめざす科学者たちのパグウォッシュ会議で書記長を一七年にわたって務め、九五年パグウォッシュ会議とともにノーベル平和賞を受けました。

ロートブラットは一九八五年に初めて彼の秘話を公開しました。藤永はその文章の結び部分を次のように引用しています[*38]：

四〇年たった今も、一つの疑問が私の心につきまとう。あの時犯した誤りを繰り返さないように私たちは充分学んだであろうか。私自身についてさえ確信はない。絶対的平和主義者でない私は、前と同じような状況になった時、前と同じように振舞うことはない、とは保証しかねる。私たちの道徳観念は、一度軍事行動が始まれば、ポイと投げ捨てられるように思われる。だから、最も重要なことは、そうした状況になることを許さないようにすることである。

注

1 R. Feynman and R. Leighton／大貫昌子訳『困ります、ファインマンさん』岩波書店（一九八八）所収の「ファインマン氏、ワシントンに行く」。なお、この本は日本語版が最初に刊行されたとのことである。

2 『困ります、ファインマンさん』、一七七〜一八〇ページ。

3 『困ります、ファインマンさん』、一八三ページ。

4 『困ります、ファインマンさん』、一九七〜一九八ページ。

5 『困ります、ファインマンさん』、二一一〜二一三ページ。

6 『困ります、ファインマンさん』、二九九ページ。

7　宇井純『公害原論Ⅰ』亜紀書房（一九七一）、一〇二～一〇六ページ。
8　西村肇「水俣病発生原因の謎が解けた」『現代化学』一九九八年二月号六〇～六六ページ、一九九八年三月号一四～二二ページ。なお、この論文に先立つ個別の内容は、岡本達明・西村肇「追跡水俣病（一）～（一四）」『技術と人間』一九九六年八・九月号～一九九八年一・二月号に掲載された。またその後、西村・岡本『水俣病の科学』日本評論社（二〇〇一）が刊行された。本節の記述は、とくに断らぬ限り、上記『現代化学』の記述にもとづく。
9　『公害原論Ⅰ』、一〇〇～一〇一ページ。
10　『水俣病の科学』、一七ページ。
11　チッソが自社技術にこだわることについては、『公害原論Ⅰ』、八〇ページにも記述がある。
12　『現代化学』三月号、一四ページ。
13　『朝日新聞』一九九五年四月二五日朝刊、二面。
14　『公害原論Ⅰ』、一〇五ページ。
15　注13の『朝日新聞』。
16　西村肇「昭和電工鹿瀬工場は大量のメチル水銀を生成していた」『現代化学』二〇〇三年三月号一三～一七ページ（上）および四月号一三～二〇ページ（下）。また、西村「栗原氏の主張を読んで」『現代化学』二〇〇三年八月号六二～六三ページも参照せよ。
17　『現代化学』一九九八年三月号、二二ページ。
18　ＮＨＫ取材班『戦後五〇年その時日本は 第三巻』日本放送出版協会（一九九五）、一一〇～一二〇ページ。

19　『公害原論Ⅰ』、一二五〜一二八ページ。

20　以下の記述は主として、槌田敦＋ＪＣＯ臨界事故調査市民の会編著『東海村「臨界」事故』高文研（二〇〇〇）および望月彰『告発！　サイクル機構の「四〇リットル均一化注文」』世界書院（二〇〇四）にもとづく。この二冊の本は、ＪＣＯ臨界事故の原因と影響を記述するものであるが、とくにＪＣＯに作業の発注をした核燃料サイクル開発機構の責任を真正面から問うているところに特徴がある。以下ではこの二冊を、それぞれ『臨界事故』および『均一化注文』と略記する。『臨界事故』は槌田を含む「ＪＣＯ臨界事故調査市民の会」の人々が執筆しており、『均一化注文』の著者・望月もその一人である。『均一化注文』は『臨界事故』の続編に位置づけられ、また資料集としての役割も意図されている。

21　原子力安全委員会・ウラン加工工場臨界事故調査委員会「ウラン加工工場臨界事故調査委員会報告」一九九九年一二月二四日。引用した文章は、報告書の最後に「（結言にかえて）」と括弧で注を加えて記載された「事故調査委員会委員長所感」の冒頭にある。

22　『均一化注文』、六四ページ。

23　『臨界事故』、二九ページ。

24　『臨界事故』、九三ページおよび『均一化注文』、一四〇ページ。

25　『均一化注文』、三一ページ。

26　『臨界事故』、三九〜四〇ページ。

27　『均一化注文』、一三五ページ。

28　『臨界事故』、三七〜四〇ページ。

29 『均一化注文』、一四三ページ。
30 『均一化注文』、六一ページ。
31 『均一化注文』、六〇ページ。
32 原子力資料情報室『臨界事故 隠されてきた深層』岩波書店（二〇〇四）、四一ページ。
33 翻訳はC・F・カールソン／桂愛景訳『戯曲 アインシュタインの秘密』（一九八二、新装版一九九一）所収のもの。
34 藤永茂『ロバート・オッペンハイマー――愚者としての科学者』朝日新聞社（一九九六）。以下、『ロバート・オッペンハイマー』。
35 『ロバート・オッペンハイマー』、一三四ページ。
36 『ロバート・オッペンハイマー』、六ページ。
37 『ロバート・オッペンハイマー』、二三一ページ。
38 『ロバート・オッペンハイマー』、二三二ページ

4章　「倫理」を別の角度から眺めてみる

1　村井実「よさ」

「よさ」

村井実は教育学者です。彼にとって教育とは、子供――あるいは、成長を期待される限りの人間――を「よく」しようとする意欲に支えられた諸活動を指します。[*1] 同時に彼は、人間は「よく」なろうとする生物として定義できると指摘します。だから、「よく」なろうとする働きのメカニズム自体は、すでに子供の中に生れついて組み込まれていて、活発に働いていると考えるのです。[*2] これが彼の思想の基本です。[*3] それでは、一体、ここに現れたキーワードである「よさ」とは何なのでしょうか?

「よい」というのは対象に関するある判断です。それは、私たちが対象によって何らかの基本的要求が満足されたときに成立します。それらの要求として村井があげるのは、相互性、無矛盾性、効用性、そして美です。以下、順に触れていきましょう。[*4]

相互性

相互性の要求は、問題の対象がいかなるものであれ、私たちはその対象と自分との関係だけでなく、同時にその対象と他者との関係を考慮しないではいられないということにあります。私たち人間は、常に、人間関係の中にあります。ですから、何ごとにおいてもこの要求の支配からは逃れられないのです。

注意していただきたいのは、個人の欲望や感情が先にあって、そのあとに相互的な制約が生ずるのではないということです。あるいは、個人の意識のあとに相互性の意識が生ずるというのでもありません。私たちの現実の意識の事実に反すると思われるかも知れませんが、むしろ相互性の意識から個人の意識が派生するのです。人と人との間柄としての人間――すなわち人＝間※――が、個人としての人間に先行するのです。

※私は、人間のこの側面――すなわち常に他者との関わりの中にあるということ――を強調するとき、「人＝間」と表現することにしている。

無矛盾性

第二の要求は無矛盾性です。人間は環境からの刺激を受けとめ、その内容を言葉や数で記号化し、それを組み合わせて情報をつくり、それを処理することによって生きています。この情報の作成や処理は、決してバラバラなものではなく、どこまでも全体として矛盾のない論理的統一を求めるプロセスです。

人間が無矛盾性を求めるということに関し、次の例を考えてみましょう。幼児は「いない、いない、ばあ」を大変喜びます。これは彼らが論理的無矛盾性の要求に貫かれていることを示しています。彼らはこのとき、相手が「いる」（存在する）という事実と「いない」（存在しない）という事実の間の統一を喜んでいるのです。ただ「いる」だけ、あるいは「いない」だけなら何の面白味もありません。しかし、「いる」と「いない」という明らかに矛盾した二つの経験の間に、新しい無矛盾の統一が発見できる！　彼らはこれを喜んでいると考えられます。

今度は私が姿を隠したとします。このとき彼らは必ず探しにきます。これは、前に見えていたものは、一貫して同じように見えるはずだという要求が働いているためです。

あるいは、四、五歳の子供がウソをついたとしましょう。彼らはどんなウソでもつじつまを合わせようと懸命になります。つじつまを合わせるとは論理的な無矛盾性を求めることです。

無矛盾性の要求は、このように、ごく《自然に》要求されているのです。この要求は、すでに述べた相互性の要求とも、さらには次に述べる効用性の要求とも深く絡んでいます。

効用性

効用性とは、生体の維持と発展のための要求であり、村井はそれを「快さ」と言い換えることもできると言っています。人間といえど、他のすべての生物と同様、この要求の支配を避け得ないのです。

ただし、人間の場合は、感覚的快さとともに精神的快さへの要求があり、単純な快さを超えた構造的拡がりを有しています。たとえば、他人のための苦痛を伴う犠牲的な行為がある種の快さをもたらすということがあります。これは、相互性への要求の満足が複合的に働いているためと解することができます。

美

このように私たちは、「よい」という判断の成立のためには、「相互性」、「無矛盾性」そして「効用性」の三つの要求の働きを前提として考えざるを得ません。あるいは、人間はこの三つの要求の複合的な働きを、その生来のメカニズムとして、内蔵するといってもよいのです。

これら三つの要求はそれぞれ最大の充足をめざします。しかし、実際にはそのような充足は起こり得ません。そこで、私たちは、最大でなく最適さ（ほどよさ）というものを考慮に入れることになります。この「ほどよさ」への要求を村井は美への要求と呼んでいます。そして、この要求の充足は、相互性・無矛盾性・効用性への要求がそれぞれに、そして同時的に、充足されたという承認の根拠になると言っています。

相互性・無矛盾性・効用性の三つの要求は、相当程度、客観的に評価することができます。一方、美への要求とは極めて曖昧です。村井はこの曖昧さが重要だとします。というのは、各要求の充足を判断するにあたっての私たちの情報には常に限りがあるわけです。このような中で私たちが不断に「よい」という判断をしつつ生きていけるのは、この美――ほどよさ――の感覚によるからです。*5

四つの要求の重みづけ

個々の「よさ」の判断においては、四つの要求への重みづけの違いが存在します。[*6] ある判断では相互性が重視されるでしょうし、また別の判断では効用性に比重がかけられるでしょう。「よさ」の判断は常にこうした個性的特徴を示します。

これら判断の中のどれが本当の「よさ」か、あるいはより高次の「よさ」かという問いは意味をもちません。「よさ」の判断では、四つの要求に対する重みづけの仕方は本来自由なのです。しかしながら、それぞれの要求を考慮に入れるその度合いによって、判断には優劣の相違が生じます。ある人は広く深くかつ細かにすべての要求を考慮しており、他の人は狭く浅くかつ粗雑にしか諸要求を考慮していない、ということはよくあることです。

こうして、「よさ」の判断においては、人によって、あるいはケースによって、優劣の差異が生じ得るのです。

人間の《本性》？

人間の本性が善なのか悪なのかという問題は、歴史上、繰り返し議論されてきました。現代でも、この問題は、政治や教育の問題に関連して取り上げられることが少なくありません。ここでは、中国古代の性善説・性悪説・性白紙説に関する村井の考察を追ってみます。[*7] これにより、私たちは、「よさ」の考えにもとづく村井の価値判断の方法――対立する諸説の検討の仕方――を知ることもできます。

性善説

性善説は孟子（もうし）（BC三七二頃～二八九頃）の説として知られています。『孟子』第十一巻「告子章句上」六に次の記述があります[*8]：

孟先生がいわれた。

「人の生まれつきの情からすると、たしかに善とすることができる。それがわたしのいう人の性は善ということである。悪をなすものがあっても、それは素質のせいではない。なぜならば、同情心は人間だれもがもっている。羞恥心も人間だれもがもっている。尊敬心も人間だれもがもっている。是非の分別心もまた、人間だれもがもっている。同情心は仁であり、羞恥心は義であり、尊敬心は礼であり、是非の分別心は智である。仁・義・礼・智は、外部から自分に飾りつけたものではなくて、自分が本来もっているものでありながら、ただ自覚しないために、悪を行なうようになるのである。……」（「……」は引用者による原文の省略）

ここでは、同情心・羞恥心・尊敬心・分別心が、それぞれ仁・義・礼・智であるとされています。また村井は、第三巻「公孫丑章句上」六では、それらは仁・義・礼・智の端緒（「端」）であると説明されていることに注意を向けています[*9]。

性悪説

性悪説は荀子（BC三一三頃〜二三八頃）によって主張されたもので、孟子の性善説に対抗したものです。『荀子』第十七巻第二十三「性悪篇」一から次を引用します[*10]：

人間の本性すなわち生まれつきの性質は悪であって、その善というのは偽すなわち後天的な作為の矯正によるものである。さて考えてみるに、人間の本性には生まれつき利益を追求する傾向がある。この傾向のままに行動すると、他人と争い奪いあうようになって、お互いに譲りあうことがなくなるのである。また、人には生まれつき嫉んだり憎んだりする傾向がある。この傾向のままに行動すると、傷害ざたを起こすようになって、お互いにまことを尽くして信頼しあうことがなくなるのである。また、人には生まれつき耳や目が、美しい声や美しい色彩を聞いたり見たりしたがる傾向がある。この傾向のままに行動すると、節度を越して放縦になり、礼義の形式や道理をないがしろにするようになるのである。

以上のことからすると、人の生まれつきの性質や心情のおもむくままに行動すると、きっと争い奪いあうことになり、礼義の形式や道理を無視するようになり、ついには世の中が混乱に陥るようになるのである。だから、必ず先生の教える規範の感化や礼義に導かれて、はじめてお互いに譲りあうようになり、礼義の形式や道理にかなうようになり、世の中が平和に治まるのである。

以上のことからすると、人の生まれつきの性質は悪いものであることは明瞭である。したがって人の善い性質というのは、後天的な矯正によるものなのである。

また、同じく「性悪篇」七には次の記述があります‥

そもそも人が善いことをしようと思うのは、生まれつきの性質が悪いものだからである。そもそも徳の少ないものは多くの徳を身につけたいと思うし、醜いものは美しくなりたいと思うし、少ししか土地をもたないものは広大な土地をもちたいと思うし、貧乏人は金持になりたいと思うし、身分の賤しいものは高貴な位にのぼりたいと思う。かりそめにも自分自身にもっていないものは、必ずそのもっていないものを外部に求めようとする。

……以上のことからすると、人が善いことをしようと思うのは、生れつきの性質が悪いものだからなのである。（「……」は引用者による原文の省略）

性白紙説

人間の本性は善でも悪でもないとする主張は告子（こくし）（生没年不明）によってなされており、『孟子』第十一巻「告子章句上」一に引用されています‥

告子がいった。

「性はたとえば杞柳（こぶやなぎ）のようなもので、義はたとえば杞柳で造った曲げ物の器のようなものだ。人間の本性をためて仁義に変えるのは、ちょうど杞柳をためて曲げ物の器を造るのと同様である」

ここで「ためる（矯める）」とは、手を加えて型にはめることを意味します。

さらに、同じく「告子章句上」二では：

告子がいった。

「人間の性は、早瀬のぐるぐる回っている巻き水のようなものだ。東に切って落とすと東に流れる。西に切って落とすと西に流れる。人間の本性に善・不善の区別があるわけではない。それは水の落ちるのに東西の方向の区別がないのと同じである」

村井はこの主張を性白紙説と呼んでいます。[*11]

三説の共通点

さて、以上の三説は互いに相容れぬ人間観を提示しているようにみえます。しかしそれは人間の本性に関してのみであって、実は、人間がその本性とともにどう生きるべきか、すなわち本性にとっての最終目標については三者とも完全に一致していることに注意が必要です。[*12] その最終目標は「善」という一語で表現されます。それは、孟子にとっては仁・義・礼・智であり、荀子にとっては礼義や譲りあい、あるいは「世の中が平和に治まる」ことであり、告子にとっては仁義です。

人間の本性が悪であるなら、その本性のままに生きようとする人生観があってもおかしくありません。村井はそれを、「道徳的ニヒリズムとでも呼ぶべきものである」といっています。あるいは、人間の本性が善でも悪でもないのなら、その本性のままに、自然主義的に人生を歩むべきだという主張も成立し得ます。しかし、荀子も告子も決してそのようには論じていません。この事実は、三者とも共通して儒教的伝統のもとにあったということで、部分的には、解釈ができます。しかし、村井は、理論的にはもっと本質的な理由があると指摘します。

そもそも、人が人間の本性の善悪を論じようとする場合、それは必ず人生はよく生きなければならないという前提に立っているのです。もちろん私たちは、人間の本性が善でも悪でもなく、また人生に善は関わりがないと考えることはできます。しかし、そこから私たちが、人間はその人生を善くも悪くもなく自然に生きるべきであると考えた場合には、すでにそのような自然的な生き方をよしとする判断がもち込まれているわけです。つまり、人生に善は関わりがないと考える一方で、自分が人生をよく生きようとしている事実を露呈してしまっているのです。すでに述べた道徳的ニヒリズムについても同様です。それは、道徳的生き方の、単なる陰画なのです。

三説の検討

三説の相違点とその検討は教育の問題に関わります。性悪説と性白紙説によれば、人間はもともと悪であるか、あるいは善でも悪でもないものです。だから、それを善とするには、外部から働きかけてそれを善につくっていかなければなりません。一方、性善説によれば、人間の本性はもともと善への端緒を含んでいるのだから、これを育てて善とすることができます[13]。

荀子の性悪説の場合、悪の本性に働きかけてそれを善にするのだから、その本性は、あらかじめ、善を受け入れる何らかの素地が備わっているのでなければなりません。実際、荀子自身も、「しかもありきたりの人でもみな、仁義や正しい規範を習得できる素質があり、また仁義や正しい規範を実行できる能力がある」(「性悪篇」十二)と書いています。つまり、人の本性は、善を習得できる素質や善を実行できる能力を備えているのです。これは、悪の本性が善への可能性を備えているということです。そこで村井は、性を悪とする荀子の根拠は論理上いかにも乏しいと指摘しています[14]。

あるいは、荀子は、人が善いことをしようと思うのは生まれつきの性質が悪いからだといっています。しかし、悪の本性が、その悪のゆえに、善を行おうとするのならば、その「善を行おうとする」ということ自体が悪なる性の中に含まれているのでなければなりません。そうすれば、その本性はまさに善なのではないかと思われます[15]。

告子の性白紙説に対しては、孟子が実に適正な答えをしています[16]:

孟子先生がこたえられた。

「あなたは杞柳の性質にしたがって曲げ物の器を造るのか、それとも杞柳の本性を殺して曲げ物を造るのか、どちらだ。もし杞柳の性質をためて曲げ物を造るのだとすると、人間を殺害して仁義をなすと考えるのではないか。君の主張こそ、きっと天下の人を残らずひきつ

れて、仁義を害するものだ」（「告子章句上」一）

つまり、曲げ物の器が杞柳からつくられるのは杞柳の性質が曲げ物に適しているからではないのか？ それと同様に、人間の性は仁義に適っているのでそれに育て得るのではないか？ これが孟子の問いなのです。さらに、孟子による次の反論もあります。

孟先生がいわれた。

「水は君のいうように東西の方向を区別はしないが、高低の区別はしないとはいえぬ。人の本性が善におもむくのは、水が低いほうに流れるのと同じだ。しかし、人間だってもちろん善におもむかないこともあれば、水だって低いほうに流れないこともある。たとえば水をはね飛ばすと、人間の額を越させることもできるし、水をせき上げると、山に上げることもできる。しかし、これが水の本性であるはずがない。外から力が加わってそうさせただけである。人間に不善の行為をさせるようにするのは、本性のためでなくて、外力のせいなのだ」（「告子章句上」二）

このようにして、孟子、荀子、告子の主張を互いに比較し、村井は孟子の性善説が論理的に最も周到であり一貫していると結論しています[*17]。

固定的善悪概念の問題

孟子の説が優れているのは、善とそうでないものの「中間」、すなわち善への「端緒」を認めている点にある、と村井は指摘します。このことは、あとでソクラテスに関連しても触れることがあるでしょう。一方、孟子においても明らかでないのは、善の萌芽（端緒）がどうして善に成り得るのかという問題です。つまり、孟子においては、善の萌芽がそのまま善とされてしまっています。村井は、このために、孟子の説はその後の理論的発展が妨げられたといいます。[*18]

三説に共通するもうひとつの問題は、善とは何かについての批判的吟味が全く欠けている点です。たとえば、孟子においては、善とは仁・義・礼・智のことですが、それらがどうして善であり得るのかは全く議論されていません。当時の人々にとっては、善とは社会的に固定されていて、それに徐々に近づいていくのが聖人・君子の道であったわけです。したがって、人間は「よさ」を求める存在であり不断にそれを更新しつつつくり出していくという考えは、全く出現の余地がなかったのです。[*19]

教師ソクラテス

ここで話題を転換し、古代中国から古代ギリシアに移ります。村井は哲人ソクラテス（BC四七〇頃〜三九九）を、歴史上最初の代表的教育者であるといいます。ソクラテスは「問答法」なる彼独自の方法を用い、当時のアテナイ――古代ギリシアの文化の中心地でいまのギリシア共和国の首都――の青年たちの教育に一生を捧げました。しかし、彼の特徴は教育の方法にあるだけではありませんでした。彼は、「どう教育するか」だけではなく、「教育とは何か」への関心を教育史上初めて明確に示して、当時の教育問題を鋭く吟味し分析したのです。[20] 以下では、主として村井の『ソクラテス』[21] にもとづき、彼によるソクラテス像を再現します。

ソクラテスの時代を特徴づけるのはペロポネソス戦争（BC四三一～四〇四）です。学校で「世界史」を選択された方は御記憶でしょう。ともかく、世界史的大事件です。ソクラテス自身もこの戦争に参加して、いくつかの戦闘で勇者としての振る舞いを示したとされています。この戦争は、アテナイとスパルタというギリシアの二つの都市国家――ポリス――のそれぞれを盟主とする諸国の間で展開されたものです。アテナイを中心としたのが民主制の諸国家で、それは「デロス同盟」と呼ばれました。他方のスパルタを中心にしたのが反民主制の諸国で、それは「ペロポネソス同盟」と呼ばれました。これには都市国家内部の党派間の抗争も絡んで、複雑で過酷な様相を呈したようです。この戦争は結局アテナイ側が敗れ、スパルタがギリシア諸国の覇者となりました。

アテナイには、社会的秩序の混乱と精神的荒廃がもたらされました。従来の法律や慣習に対する不信が生まれ、それらは人々の思いなしや取り決めによる人為的なものであり、何の真理性も含まないとされました。人々は、むしろ、それらにとらわれることなく、自分の《自然》にしたがって生きるべきであるということが積極的に主張されました。このような主張をする人々は自らを知恵の教師――ソフィステス――と称し、当時の教育界の流行児となりました。しかし、そこでは、《自然》の概念は少しも明らかにされませんでした。そのため、従来の法律や慣習に対する不信は、そのまま道徳的主観主義・相対主義と結びついたのです。これは古い権威の破壊にのみ作用しました。[*22]

さらに、ソフィステスの代表ともいうべきプロタゴラス（BC四九〇頃～四二〇頃）は、「何が正義かということはそれぞれの国家がそう思って法に制定すれば、それが、その国家にとって、真実正義となる」という趣旨のことを述べたということです。これは、法律・慣習への不信を最も鋭く表明する一方、同時にそれへの功利的な妥協の可能性を最も積極的に表現したものであった、と村井は指摘します。[*23]

回心

ソクラテスの同時代人に喜劇作家アリストファネス（BC四四五頃～三八五頃）がいました。ソクラテスはアリストファネス作の喜劇『雲』の登場人物の一人です。『雲』の上演は紀元前四二三年のことであったといいますから、このときソクラテスは四〇歳台の半ばを少し過ぎた頃です。この喜劇の中でソクラテスは、社会に道徳的混乱をもたらす新教育の親玉として描かれています。その振る舞いは、私たちの知るソフィステスに極めてよく似ているのです。一方、私たちは主にプラトン（BC四二七頃～三四七頃）の著作を通じて哲学者ソクラテスに親しんでいるわけですが、そこで描かれているソクラテスはソフィステスたちの論敵です。だから、『雲』におけるソクラテス像はそれと大きく矛盾するのです。

しかし、この喜劇が成功したということは、当時のアテナイの人々が抱いていたソクラテス像が、(誇張はされていたにしても)その戯曲にかなり忠実に描写されていたと考えてよいと思われます。また、ソクラテス自身も『雲』の上演される劇場に姿を現して観客に愛嬌をふりまいた、というような伝説も残っているようです。もしそうだとすると、ソクラテス自身も、まぁ苦笑いをしながらも、認めざるを得ない自己の像だったと思われます。だから、ソクラテスはある時代まで、多分にソフィステス的であったと推定されます。[*24]『雲』の上演の頃、プラトンはまだ四、五歳の幼児です。ソクラテスは四〇歳前後に回心したと伝えられていますので、それ以降プラトン的ソクラテス――つまり私たちの知るソクラテス――へと転換したものと考えられます。『雲』はそれ以前のソクラテス像を描いたものなのでしょう。

ソクラテスの回心は、有名なデルフォイの神殿における神託――神のお告げ――がきっかけになったといわれています。デルフォイは古代ギリシアの町で、アポロンの神殿があった所です。その神託は「ソクラテス以上の賢者は一人もいない」と告げたそうです。ソクラテスはびっくりして、自分以上の賢者を探そうと努力したのですが、結局わかったのは、自分の知識は確かに僅かではあるけれども自分はそれが僅かであることを知っていること、すなわち自分は「無知の知」を有する者だということでした。[*25]これ以降、彼は自分の使命に目覚め、積極的な教育活動に携わったとされています。

ソクラテスの回心の別の一面として、アナクサゴラス(BC五〇〇頃~四二八頃)の《自然》学との関わりがあげられています。それによれば、ソクラテスは、万物の原因は「ヌース（理性）」であるというアナクサゴラスの説に大いに感銘を受けたのだそうです。しかしソクラテスは、アナクサゴラス自身は不徹底であって、いざとなると空気や水を原因としてもち出すようなことをしていることに気がつきました。これに彼はいたく失望し、そのため自然学を離れて、「どんな原因もそれがなければ原因でありえないような原因」を求めて新しい人間的事象の探究に入ったというのです。[*26]

ソクラテスの回心の動機について、私の立場で、簡単にコメントをしておきます。デルフォイの神託の場合は、彼の「無知の知」――自分は自分の知識が僅かであることを知っていること――の発見が回心の動機だったわけです。このような発見による回心はソフィステス的な振る舞いとは全く無縁のように思われます。ソフィステスは、文字通り、売るほど知識を有していたのであり、それにより彼らは職業的教師として生活できたのです。また、アリストファネスの『雲』におけるソクラテスの商売は「思想製造販売所」（フロンティステーリオン）の主人（！）でした。[*27]

しかし一方、ソフィステス的な相対主義的方法を徹底して自己に向ければ、自分は本質的には何も知らないということがまずは導き出されるはずです。それは、現代の《sophisticate》された相対主義が、《真理》概念や《正義》を否定して自己の足元を掘り崩しているのと同じです。だから、若い頃のソクラテスがソフィステス的立場におり、その立場を徹底することによってその限界を知り、思想的回心を遂げたということは、私たちの立場からは極めて理解しやすいのです。

伝統的諸価値に対する相対的見方については、ソクラテスもソフィステスと同じような自覚に立っていました。しかし、村井は、その自覚を現実の社会を正当化したり、それと妥協するための技術に転化するソフィステスの態度は、同じ自覚をさらにあくなき徳の探究と創造に向かって生かそうとするソクラテスの態度といまや根本的に相違してくると指摘します[*28]。この点、私も大いに同感です。現代の相対主義も、一見、多様な価値を尊重しているかのように振る舞いながら、結局は腕力の強い側、声の大きい側の価値を擁護する結果となっています。相対主義の社会が伝統を破壊しつつ同時に保守化した社会であるというのはレッキとした理由のあることなのです。

「エロス」

プラトンによれば、ソクラテスは「自分には何もわかっていない」というのが常でした。それを裏づけるかのように、プラトン作のソクラテス的対話篇のほとんどは、ソクラテスが関わった歴史的事件の解説的なもの――たとえば、『ソクラテスの弁明[※]』など――を除いては、何ら確かな結論に到達しないで中断されています。この点、「エロス」(愛)の問題を扱った『饗宴』は特異です。ここでは、ソクラテスは、ディオティマという婦人から教わったことを伝えるという形で、エロスに関する思想を、彼としてはめずらしく、断定的に語っています。ディオティマは多分巫女さんのような人で、ソクラテスに「恋愛の道を教え」たということになっています。『饗宴』のソクラテスは、自分は、エロスに関すること以外は、何も知らないと主張しています。[*29]

※プラトン作対話篇のひとつ。紀元前三九九年、ソクラテスは「神々を信奉せず、また青年に悪影響を与えた」として公訴された。本篇は、それに対するソクラテスの大弁論を記したもので、陪審員および市民聴衆を前にしての演説である。結果として原告側の求める死刑は可決され、これによりソクラテスは牢獄において毒杯を仰ぎ刑死することになる。

『饗宴』では、まず、何人かの人々によりエロスの賛美が行われます。ここでは、それに続くソクラテスのエロス論と関わりの深い、アリストファネスとアガトン（BC四四五頃〜四〇〇頃）の議論に触れておきましょう。アリストファネスはすでに登場した喜劇作家です。また、アガトンはアテナイの悲劇作家であり、彼の作がコンクールで優勝したためのお祝として問題の「饗宴」が開催されたのです。

アリストファネスは、エロスとは完全なものへの欲望と追求であるといいます。これに関連して、彼は奇妙な寓意を物語ります。それによれば、人間は昔、四本の手と四本の足をもつ球体であった。彼らは腕力が強くまた驕慢で神々に刃向かった。そこで神々が相談し、その結果彼らを二つに切ってしまった。これで出来たのが現在の人間である。そのため、人間は、かつての完全な姿を求めて、他の半身を追い求めるようになった、というのです。これは単に肉体的欲望のみを指しているのではありません。魂も、言葉に表すことができないまま、何ものかを求めているのです。[*30]

ついでながら、アリストファネスのいう昔の人間には三種類がありました。それは男と女の二種、そして第三の種類が「男女（おめ）」（「アンドロギュノス」＝両性具有）です。異性愛者はこの「男女」が半分に切られたもので、姦夫や姦婦の大部分はこの部類から生まれるとされています。これに比較して、もとの男（「男男」）の片割れである男性は、天性、最も男らしい男とされています。

さて、アリストファネスに続いて、この饗宴の主人公アガトンが登場します。彼は、エロスを美への愛であるだけでなく、それ自身最高に美しいものとして賛美します。それは、似るものは似るものの方へ常に近づくという昔からの言い伝えの通りであるとされます。正義・慎み・勇気・知恵のような徳はエロスに帰すことができる。生物の創造や芸術的創造活動全般、あるいは諸技術はすべてエロスの知恵による。エロスは自らが美しく、また他のものにもまた同じ長所を付与するようにみえる[*31]。

これらエロスに対する賛美のあとを受けたソクラテスは、まず、アガトンの主張の矛盾を指摘します。もしエロスがアガトンのいうように美への愛であるならば、エロス自身はその美を欠いているのでなければなりません。もちろん、美しいものがより美しさを求めることはあり得ることです。しかしその場合でも、求めているものにとって、その求めるものは欠けているのです（でなければ、求める必要がありません）。だから、エロスが美しいものへの愛であり、しかも自らも最高に美しいという主張は矛盾なのです[*32]。とはいえ、美しくないものは必然的に醜いとか、善くないものは必然的に悪いというように考える必要はありません。エロスは両者の「中間」なのです。村井はこの「中間」という概念に注目します。これこそが人間的成長の把握を可能にする原理であり、人間的な事柄を「在る」ことよりも「成る」こととして把握できる運動原理なのです。[*33]

このことは、先に紹介した孟子の性善説において、「善への『端緒』」という「中間」概念が評価されたことと対応します。また、ついでに、性善説と並んで紹介された荀子の性悪説を思い出して下さい。荀子は、徳の少ないものは徳を求めるし、醜いものは美しくなりたいと思うことなどからして、人間が善いことをしようとするのは生まれつきの性質が悪いからだと主張しました。確かに、「善」を求めるのは、人間が「善」の欠如体――「善」に欠けているもの――であるからです。しかし、善の欠如体は悪ではありません。それは未だ善であらぬもの、善に成りつつあるものなのです。

ソクラテスによれば、人間は善いもの・美しいものを求め、それを得ることによって幸福になることを願います。だから、エロスは人間に起こり得る各種意欲のすべてを含むのです。こう考えることによって村井は、アリストファネスのいう人間の求める完全な姿なるものは、「けっして私たちが過去にそうであったとかいうような偶然的なことがらではなくて、私たちの真実の自分という、私たちの成長にとって必然的であるところの目的を意味する」[*34]と述べます。すなわち、個体の完成への憧憬なのです。これは、存在の欠如体である人間――難しいコトバで「対自存在」――が絶えず自己の現状を脱し目的に向かって自己を投げ企てる、というサルトルの「存在投企」の概念を思い起こさせるものです。[*35]すなわち、人間は元来何ものでもない存在であり、各人は不断に自己をつくっていかねばならないのです。

方法

村井は、ソクラテスのいう「徳」には、二つの意味があると指摘します。一つは善悪を分別しつつそれを通して身につけるところの徳、すなわち実質的な徳です。もう一つは社会的に人々に是認された徳、すなわち徳目としての徳で、これは徳の慣習的様態です。私たちは、徳目を介して、実質的な徳の形成に導かれます[*36]。そこで、ソクラテスの教育活動は、いつも徳目の吟味という形を採ったのです[*37]。これは、すなわち、批判あるいは検討の対象となる考え方の中に入り込み、その内的論理の徹底を通して、その限界を明らかにするという――私たちの着目している――方法なのです。

村井はソクラテスの吟味の方法を次のようにまとめています[*38]：

ソクラテスがその論破の段階において示した技術の巧みさはきわめて印象的である。彼の論破はまず人々を対話にさそいこむことから始まるのであるが、その場合、大ていは、倫理的な問題の領域から一つのことがらを取り上げてそれについて質問する。そうしてそれに対する答（いわば第一次の答）が得られると、彼は次に多くの質問を重ねる。ところが、これらの質問は、第一次の質問がそれ自体解答するのに困難なものであったのに対して、いかにも易しく自明なことに見える。そうしてこの質問群は一般にイエスかノーかで答えられうるような形で問われるのであるが、一見したところでは第一次の質問とは何の関係もないように見えるか、または互いに無関係な数種類の質問群に分かれているように見える。しかし最後にソクラテスは、「さあ、それでは、これまでに承認されたことがらを数えあげてみようではないか」と提案する。そうしてその結果、第二次の解答群は最初の第一次の解答とは全く矛盾した主張に陥っていることが指摘されることになる。つまり、第二次の質問群に対して解答者が同意しなければならないと感じたいくつかの命題は、彼の第一次の解答における命題の誤りを裏書きするような主張を含んでいたことになるわけである。

しかもこうした会話において、もしその運びが予定された道から外れた場合、たとえば第二次の質問群のあるものに対して、相手が「イエス」あるいは「ノー」の答を直ちに与えなかったりした場合には、ソクラテスはその答を得る機会を見つけるまで、そのまま対話をつづけた。また、相手の答が長く、演説口調になる場合には、彼は短く答えることを繰り返し要求し、またときには、相手がソクラテスの問いに答えないで逆に質問を返し、ソクラテスの方が解答者の立場に置かれることもあったが、そうした場合には、ソクラテスの答は忽ち長い演説に変り、機会を捉えては再び質問者の側にまわった。また彼はしばしば自分が忘れっぽい人間であると卑下して、相手に気を許して喋らせたり、巧みに自分の質問への解答を促したりした。

こうしたソクラテスの多彩な論破の技巧は、人々の間に異常な、しかも多様な影響力を及ぼした。なかんずく、すべての場合に共通であったのは、ソクラテスの相手となった誰彼が挙って経験したある種の困惑（行きづまり）の意識であった。〔かっこ（ ）内は原文、ただしギリシア語の単語は省略〕

ソクラテスの方法は相手が依拠する価値判断の思考体系を明らかにし、その吟味を通じて、内包する矛盾を顕在化させるものでした。これにより相手の独善は破られます。しかし、直面したアポリアをどうのりこえるかはその主体自身の問題です。この意味で、ソクラテスの方法は「よさ」を探究するための手段なのであり、それを教えるものではなかったのです。これは、私がすでに繰り返し述べた、倫理は「答えを与えるもの」ではなく「ある事態に直面したとき、理に適った選択を見出す手段」ということに対応します。

「よさ」と倫理

村井にとって、「よさ」はすでにどこかに存在し、私たちがそれに近づいていくという対象ではありません。といって、「よさ」は存在しないというのでもありません。「よさ」は、むしろ、未だ存在しないもので、私たちは——自覚しているかどうかは別として——不断にそれを追い求めているのです。このような「よさ」の存在の仕方が理解できなかったので、現代の相対主義者たちは「よさ」（や《正義》）を、単純に、存在しないもの——あるいは存在してはならないもの——としてしまったのです。これは明らかにいき過ぎです。

あるいは、村井にとって、善とは、「善であったもの」（広義の文化）をもととし、その吟味を通じ、新たに作り上げていくべきものです。子供たちは、生まれたらすぐに父母に出会い、友達に出会い、社会から刺激を受け、自然に向かい合って成長していきます。このとき、「よさ」を求める子供たちは、大人や祖先たちがやはり「よさ」を求める過程でつくり出した文化と出会い、それを媒介にして育っていきます。[*39] 子供たちは、既成の文化を自分の「よさ」に向かう要求とぶっつけ合わせ、照らし合わせてよくなっていくのです。[*40] このように、伝統的諸価値は、吟味の対象として非常に重要なのです。

また、「よさ」は外部から各人に共通に与え得るものではありません。それはむしろ、各人が人＝間として、それぞれ主体的に追求すべきものです。

「よさ」の吟味において要求されるのは、「相互性」「無矛盾性」「効用性」、そして「美」の四要素でした。ここにおける「相互性」「無矛盾性」「効用性」のそれぞれは、先に倫理的選択に要求される項目として掲げた「一般性」「首尾一貫性」「事実との対応」にあたるものと私は考えています。[※] また、私の要求項目では「美」への要求にあたるものは直接には議論されていませんが、それは「一般性」「首尾一貫性」「事実との対応」の三つが直観的に満たされた状態をさすと考えることができます。あるいは、倫理的選択はその人の生き方――人格の核心――に関わる重大事であるということに関係します。すなわち、「美」という言葉を用いるなら、倫理的選択はその人の「美」意識の表現であり、同時に、それによりその人の「美」意識が評価されるということです。

※村井における「相互性」「無矛盾性」「効用性」は、互いに深く絡んでいるとされている。たとえば、本節の「効用性」の項においては、「効用性」と「相互性」が複合的に働くと解される例があげられている。他方、私の倫「理」における三つの要求項目は概念上独立である。たとえば、「理」を円でイメージしたとすると、「一般性」は円の大きさ、「首尾一貫性」は円の内部における整合、「事実との対応」は円とその外部との整合を表す。

2 デヴィッド・ボーム「全体的運動」

価値の多様化の時代？

現代は価値の多様化の時代といわれています。もしその通りであるなら、多様な諸価値の存在自体がひとつの社会的価値となっていてよいように思われます。つまり、多様な価値のそれぞれが、自己とは異なる他の諸価値の存在を、自己にとって積極的に価値あるものとして認めるということです。

多様化した諸価値は、それぞれが独自のものであればあるほど、強い相互作用を引き起こすものです。これを通じて、諸価値は互いにみがかれ・のりこえ合って、全体として「諸価値の価値」を構成してよいように思われます。確かに、一部においては、多様な価値・生き方が認められつつあるようにもみえます。しかし、どうも現実の状態は、価値の多様化というよりは、価値の断片化とでも呼ぶべきもののようです。ここでは、自己にとって、他の諸価値の存在は何の関わりもないし、関わるべきものでもない。自己にとって、他の多様な価値の存在は、非価値的なのです。

価値とは主体――人間――の在り方のことです。だから、本来、《原理的に》多様なものです。そして、価値の多様化と呼ばれる社会的自覚は、戦後の長期にわたって徐々に獲得されてきました。しかしながら、私たちの社会は、（多分一九七〇年代から八〇年代にかけての）あるとき、多様な諸価値の間の矛盾を社会的価値として受けとめ、のりこえることに失敗したのです。これにより価値は各主体にこもり始め、相互作用を回避する方向に動き出した。すなわち、価値主体は孤立化し、価値観の間の相互作用は非価値的となったのです。かくして、社会的には価値の断片化が進行しました。

価値の断片化

価値の断片化は、各主体において価値の相対化の自覚を生み出します。いかなる価値も絶対ではありません。価値観は人によって異なるし時代によっても大きく変化します。さらに、人は特定の価値を信奉することによってしばしばそれに裏切られます。となると、人が基本的に信頼できるものは、各瞬間において各人の《心の奥底から》生じてくる感情・欲望であるということになります。これらは、少なくとも各人にとっては、ホンモノでしょう。このような状態が《感性の時代》の内容を構成します。

この感性の時代なるものは、同時に、保守回帰といわれる現象によって特徴づけられています。これは一見矛盾のように思われます。「感性」という語は通常、「自由な」、「何ものにもとらわれぬ」、「みずみずしい」といった修飾語とともに使用されるものであり、保守や伝統といった概念とは馴染みにくい印象を与えるからです。しかしながら、私たちの日常の経験を振り返ってみれば明らかなように、感性は最も慣れた対象に最も親近感を示すものです。いいかえれば、感性は《時代》によって、それぞれの形で、しっかりと条件づけられているのです。すなわち感性は現在、自覚せぬまま自己をつくられ、そして同じく自覚せぬまま歴史をつくっているのです。

また、価値が各主体にこもり、相互作用を回避するようになったとはいえ、主体間の価値的対立がなくなってしまったわけではありません。それどころか、それはますます先鋭化しており、私たちの社会はその対立をのりこえる見通しを提示できずにいるのです。したがって現在では、ごく日常的な場面においても、価値観の間の矛盾が見通しを欠いたまま一挙に破局へと導かれることも稀ではなくなっています。

問題は、諸価値の断片化——いきいきとした相互作用の欠如——にあるように思われます。《ニューサイエンスの理論家》デヴィッド・ボーム[※]は、言語と思考における断片化とそれがもたらした結果について、「全体的運動」なるモデルにもとづき興味深い考察を展開しています。[*41] ここでは、価値の断片化の側面に着目し、彼のモデルを取り上げてみます。

※ボームは理論物理学者。量子力学の《正統的》解釈に対する一貫した批判者として著名。また同時に、極めて正統的な教科書『量子論』の著者としても知られている。一九八六年、日立製作所の外村彰が量子電磁気学における「ＡＢ効果」を実験的に検証して話題となったが、「ＡＢ効果」のＢはボーム、Ａは彼の弟子であるアハロノフのイニシャルである。

形而上学：「万物は分割不可能な全体的運動である」

ボームにとって世界観とは「たえず変化している人間知識や経験を首尾一貫した形で有機体化する」機能を有するものです〔八六頁〕。「世界観は、ひじょうに暗示的で隠れた形態において形成され、ほとんど気づかぬような仕方で『無意識的に』機能しているのが普通で」す。そのため、世界観が議論されるためには、それは明確に表現されていなければなりません。この表現の形式が形而上学といわれるものであり、「『万物はＸである』という一般的な形式を取っている」〔一一四頁〕といいます。

そこでボームは、次のような、彼独自の形而上学を提起します。すなわち、

万物は、分割不可能な全体的運動である。一見分離した事物と見えるものは、全体的運動の相対的に安定な側面の抽象である〔一一五頁〕。

ここで、「全体的運動の相対的に安定な側面の抽象」なるものを理解するには、一定の運動パ

ターンを有する流体を想像するのがよいでしょう。たとえば、定常的な渦や波を生じながら流れている川を考えると、川が全体的運動、そして渦や波がその運動からの抽象ということになります。ここで渦や波のそれぞれは独立した存在のようにみえます。しかし、それらは川の流れによって生じたものであり、それから独立なものではありません。「たとえば、二つの渦は異なる中心をもっているが、それらの運動パターンは流体全体の中で混じり合っている。運動パターンのどこにも分断や分裂はない」（九二頁）。

「原子、電子、陽子、テーブル、椅子、人間、惑星、銀河などすべてのものが、全体的運動からの抽象と考えられる。……互いに独立に存在する実体や存在という考え方は、捨て去られるか、あるいはせいぜい、われわれの経験全体のある限られた領域においてのみ適合する過去の世界観として命脈を保つことになろう」（「……」は引用者による原文の省略、本節以下同様）（九三～九四頁）。ボームは、独立な存在や実体なるものは単に、運動を記述する際の便宜のためのものに過ぎないといいます。「もちろん実際のところ、場合に応じて一つの事物に注意を集中させることは一時的には必要なことである。しかし、各事物が……全体的文脈から本質的に独立していると考えるならば、……意識の深い統一性の認識をさまたげてしまう」（傍点は原文、本節以下同様）（六八頁）。

断片的世界観がもたらした諸問題

さて、次がボームの基本的問題意識となります。すなわち、現代社会においては、「認識、経験、行為にあまねく浸透する断片化のために、世界は人口過剰、自然資源の枯渇、環境汚染、地球全体における生物の生態学的バランスのくずれに直面している。さらに深刻なのは、そのような生活様式が社会構造の意味を喪失させているという問題である。すなわち、各個人自らが形成した諸関係を、自分とは関係ないもの、各個人の最深奥のもっとも本質的な部分とは『疎遠な』ものと感じるようになっている」〔六九～七〇頁〕。

世界観の物理学的背景

ボームはさらに、現在の科学的伝統には思考内容の断片化をもたらすような態度が見受けられる、といいます。「この点に関しては、物理学の責任が大きいといえよう。……世界は不変の性質をもった互いに無関係な基本的な諸実体（たとえば、素粒子）から構成されているという考え方が、一般に受け入れられている。そうした考え方の中に、物理学における断片的なアプローチの極端な形態が見受けられる」〔八八頁〕。「確かにすべてのものを一群の構成粒子へと分析することは、物理学の研究経験とかなりよく適合する。一九世紀末までは、多かれ少なかれこのように理解されてきた。しかし、このことは、二〇世紀に判明したほとんどの事柄には適合しない」〔八九頁〕。

アインシュタインは、相対性理論において「宇宙を分割不可能な全体をなす一つの場として考えるべきであるとした。そして場からのある種の抽象として、すなわち、場の強さがたいへん大きい局所的領域として、粒子を取り扱ったのである」※〔九一頁〕。また、量子論においては、「『実験条件』と『観測対象』は一つの『パターン』の異なる二つの側面と考えられる。実験条件と観測対象は、われわれの記述様式によって抽象されたものである。それゆえ、『観測装置』〔すなわち、実験条件〕が『素粒子』〔すなわち、観察対象〕と相互作用していると言うことは意味がない」（〔 〕は引用者による挿入、本節以下同様）〔九二頁〕。

※流れている川の内部の各点は、各時刻において、特定の向きと大きさをもった速度を有している。すなわち、川の中には速度の分布が存在する。このように、ある領域中の各点に或る物理量（いまの場合は速度）の分布があるとき、それは「場」と呼ばれる。「電場」や「磁場」がよく知られている。アインシュタインの一般相対性理論によれば、宇宙はひとつの場である。その各点は時刻と位置によって指定される物理量〔「エネルギー・運動量テンソル」（および「計量テンソル」）〕を有し、その量が特異的に大きな局所的領域として粒子が扱われる。

現代では、このようにして物理学も新しい世界観へと転換しつつある、とボームは述べます。

適合的運動

だから私たちは、全体的運動の諸側面を断片的にとらえないよう注意しなければなりません。全体的運動とは、その諸側面の全体的運動への適合の運動、および諸側面同士の適合の運動のことなのです。

この適合の運動によって、すべてのもの——無機的自然はもちろん、人間や進化のすべての形態を含めた生物——が創造され形成されます〔一一七〜一一八頁〕。第一、「現在では、生命の本質は、有機体化エネルギーの運動であると考えられている」のです〔九八頁〕。また、「当然のことながら人間による人工物〔artefact〕の創造もまた、……〔適合的〕運動の特殊な一形態とみなしうる」のです〔一一八頁〕。

ここで、語源の考察が私たちの理解の助けとなります。そのよい例が「artアート〔芸術、技巧〕」という単語です。「この単語の元来の意味は、『適合させること』というものである。この意味は、articulate〔調音する〕、article〔契約における約定、条件〕、artisan〔職人〕、artefact〔人工物〕などの単語の中に生き残っている。もちろん現代では、『アート』という単語は『美的……および感情的……適合』を主に意味するようになっている。しかしながら先に挙げたいくつかの単語は、アートという語が機能的……適合という意味合いをもつことを示している」〔一〇〇頁〕。

そこで、私たちは、私たちの新しい世界観にふさわしいように「『適合の運動』を意味する新語として、『アート的運動〔artamovement〕』という語を使うこと」もできます〔一一七頁〕。「生活全体の技巧〔アート〕に関して、われわれは創造的な芸術家であると同時に、熟達した職人でなければならない。人は、たえず変化する現実に適合しようとして活動している。それゆえ、到達されるべき固定的な、あるいは、最終的な目標といったものは存在しない。むしろ、どの瞬間においても、現実のすべての側面への適合を形成する行為が、目的と手段を構成する」〔一一〇頁〕。

善

私たちの世界観における「この適合という考えは、生活のあらゆる側面に関わる。その中には、『善』と関係している『道徳的』、『倫理的』側面さえも含まれている。『善（good）』という語は、『参加する』というアングロサクソン語（これは『集まる（gather）』と『一緒に（together）』の語源でもある）から派生したものである。それゆえ、『善』という語は、人のなすことすべてにおけるある種の『相互的適合（fitting together）』を含意する……。……善とは、実際的機能や感情、美的感性における適合であるだけではない。善は、個人生活や社会生活全体のあらゆる側面における適合をより広範囲に拡大し深化させる作用をもっている」〔一一〇～一一一頁〕。

そこで、現状の考察にもとづき、ボームは、「困難は、人びとが善とは何かということについて混乱し断片的に考えていることにある。……諸悪の根源は、各人が善についての断片的な考え方を追求しているという事実の渦中にこそ巣食っている」と指摘します〔一一一頁〕。

科学は道徳的に中立か

一般に、科学は芸術とともに道徳的には中立であると考えられています。すなわち、科学それ自体は善でも悪でもなく、それをどう使うかによって善悪が生じてくるというわけです。このような考え方は、科学とそのもたらす意味とが分離できることを前提としています。

これは、思考の断片化の結果として成立している前提に過ぎません。「もし人びとが、……知識を不可分な全体として考えるならば、この知識全体が生活のあらゆる側面に適合しなければならないことを理解できよう。……現在の断片化された状態において科学や芸術が『道徳的に中立』であるか否かという問題を特に強調することは、主要な論点から人びとの注意をそらすものである」〔一一二頁〕。

真理

ここでの新しい形而上学にもとづけば、真理とは適合のことです。

一般に言明の真理性は観念と事実との対応にあるといわれています。このような対応はもちろん適合の一種ではありますが、それは適合的真理のひとつの側面に過ぎません〔一一二頁〕。「真なる観念と観察事実の一般的関係は、対応というよりも、むしろ認識、思考、意志伝達という全体的運動の中における機能の有機的適合を表したもの」です〔一一三頁〕。たとえば、数学的議論における矛盾とは、全体的描像における不適合のことです。それはある部分における対応の欠如ではありません※〔一一四頁〕。

※本質的な矛盾は、それを解消しようとして努力すればするほど、顕在化してくるという特徴をもっている。これは矛盾が全体的描像における不適合であるためである。

思考と感情の不可分性

「行為の動機づけをなす感情や衝動とともに、行為を指導する思考と認識が、一つの全体的運動の不可分な諸側面を成している。それらが互いに関連なく存在すると考えることは、思考内容とその全体的機能との間に断片化をもたらすものである」〔七六頁〕。すなわち、思考と感情は不可分なのです。たとえば、「ある人種は劣等である」という《思想》について考えてみましょう。これ自体は単なる妄想であり、非現実的なものとして片付けることができるかも知れません。しかし、いったんこの妄想が信じられれば、人はその人種を劣等な存在とみるようになります。さらには、劣等である人種を取り扱うにふさわしい態度で接するように動機づけられます。そしてやがては、その人種が実際に劣等にみえるようになります。そして、横柄な態度で接しようとする衝動を実際に感ずるようになります〔七六〜七七頁〕。

「人は……『心の奥底から』生じてくる感情こそが最高の意味をもっている、と考えてしまう」〔八一頁〕。したがって、始めは単なる妄想で非現実的であったはずの《思想》が、ついにはホンモノということになってしまいます。その人種の劣等性は「証明」されたと考えられてしまいます。

「しかし、もちろんこうした『証明』は、幻想である。この幻想は、思考内容とその機能との間の断片化によって『うまくいっている』にすぎない」〔七七頁〕。思考と感情をひとつの全体的運動の不可分の側面「として理解することができれば、問題となっている感情は、思考から機械的に生じるものであり、それゆえほとんど意味のないものである、ということが明らかとなるであろう」〔八一頁〕。

知的見方と感情的・美的見方の不可分性

「知的認識において、美的反応や感情的反応は、……決定的に重要である」〔一一九頁〕。たとえば「『何かがどこかまちがっている』という漠然とした感情からまず最初は始まる。つぎに、そのような感情や美的な感性から、まさに何が『まちがっている』のかについて、より正確な考えが徐々に生まれてくる」〔一二四頁〕。「それゆえ、……知的な見方……を、感情的で美的な見方……から切り離すことは、横暴きわまりない」ことだ、とボームは主張します〔一一九頁〕。

全体的運動からの抽象としての「自我」

全体的運動においては、もちろん、人間も例外ではありません。人間は各自独立な存在と考えられています。そして、人間の本質なる「自我」は恒久的な同一性を保っているとされるのが普通です〔一三二頁〕。しかしながら、人間やその「自我」は「全体的運動からの抽象にすぎず、相対的な類似性と定常性をもつ一定の形式や行動パターン」に過ぎないのです〔一三四頁〕。

人間は肉体とその自然環境との間で絶えず物質やエネルギーを交換し、感覚や神経系を通して絶えず自然や社会と接触しています。また「人間は他者の思考の対象となる一方、自己の思考とおおむね似てはいても若干異なる他者の思考と応答している。したがって、肉体的にも精神的にも人間であるということは、彼ないし彼女が生きている世界全体とのあらゆるふれあいの中で究極的にはすべて規定されているのである」〔一三二頁〕。

「全体的運動」と倫理

ボームのモデルは、私たちの倫理に対する考え方と多くの共通点を有します。ここでは、両者の相互適合を考慮しながら、場合によっては神秘的とも解されかねぬボーム・モデルを、倫理という具体的側面で解釈してみましょう。

倫理とは「理に適った選択を見出す手段」のことです。ここで、「理に適う」とは、ボーム・モデルの言葉を借用すると、さまざまな事柄が首尾一貫した形で有機体化された状態のことです。道徳律や固定的な善悪の概念は、その状態から派生してくる二次的なものに過ぎません。それらは、「理に適った」状態から抽象された「相対的に安定なパターン」なのです。また、ボームが諸悪の根源であるとした「善についての断片的な考え方」とは、固定的な善悪の概念（あるいは、頭ごなしの正義）を第一義的に扱うことを意味します。

私たちは倫理的選択に要求される項目として(a)事実との対応、(b)首尾一貫性、(c)一般性の三つをあげました。これらの要求は、ボームの「適合的真理」（「真理」の項参照）を三つの側面から表現したものとみることができるでしょう。つまり、(c)は全体化をめざす運動、(b)はその運動における有機的適合性、(a)はその有機的適合の中の特殊な側面のことです。また、私たちはここにおいて、「善とは人のなすことすべてに関する相互的適合のことである」(「善」の項参照)というボームの見解に、全面的に同意することができます。

全体的運動には到達されるべき固定的な、あるいは最終的な目標は存在しないということ、そしてどの瞬間においても、適合を形成する行為が目的と手段を構成するということ(「適合的運動」の項参照)は重要な点です。私たちにとって、与えられた最終目標は存在しないし、また目的と手段は不可分なのです。その都度における目的と手段の選択の積み重ねが、私たちそれぞれの人生となるのです。さらに、私たちはボームとともに、思考と感情の不可分性を確認しておきます。感性が何ものにもとらわれぬ自由なものであるというのは悲惨な誤解です。感性は、個々人による偏差はありますが、さまざまな社会的要素と密接に結びついており、それは容易に手なづけ・条件づけ、支配することができるものなのです。

注

1　村井実『教育学入門(上)』講談社(一九七六)、一七ページ。

2　村井実『新・教育学のすすめ』小学館(一九七八)、八七〜九〇ページ。

3　村井は、人はみな「よく」生きようとしているという彼の「人間観」と、それにもとづく教育についての考えを総合的にまとめている：村井実『教育問答』東洋館出版社（二〇〇七）。

4　村井実『「善さ」の構造』講談社（一九七八）、一一四～一三六ページ。以下の本文では、村井の比較的に後期の用語法を尊重し、村井の原文で「善」という漢字が用いられている場合（たとえば、「善さ」「善く」）でも、本書の著者の判断で平仮名（「よさ」「よく」）に変えている個所がある。

5　『新・教育学のすすめ』、一六二～一六五ページ。

6　『「善さ」の構造』、一三七～一三九ページ。

7　『「善さ」の構造』、一六九～一九八ページ。

8　貝塚茂樹編・訳『世界の名著3　孔子　孟子』中央公論社（一九六六）。以下、『孟子』に関する引用文はこの文献にもとづく。

9　『「善さ」の構造』、一七二ページ。

10　金谷治編／沢田多喜男・小野四平ほか訳『世界の名著10　諸子百家』中央公論社（一九六六）。以下、『荀子』に関する引用はこの文献にもとづく。

11　『「善さ」の構造』、一七六ページ。

12　『「善さ」の構造』、一七八～一八〇ページ。

13　『「善さ」の構造』、一八二～一八四ページ。

14　『「善さ」の構造』、一八九ページ。

15　『「善さ」の構造』、一八九～一九〇ページ。

16　『「善さ」の構造』、一七六～一七七ページ。

17 『「善さ」の構造』、一八八ページ。

18 『「善さ」の構造』、一九〇～一九一ページ。

19 『「善さ」の構造』、一九四～一九六ページ。

20 『教育学入門（上）』、三五～三六ページ。

21 村井実『ソクラテス（上）（下）』講談社（一九七七）。

22 『ソクラテス（上）』、四八～五〇ページ。

23 『ソクラテス（上）』、五八ページ。

24 『ソクラテス（上）』、八〇～八三ページ。

25 『ソクラテス（上）』、八八～九〇ページ。

26 『ソクラテス（上）』、九一～九二ページ。

27 『ソクラテス（上）』、七一ページ。

28 『ソクラテス（上）』、一一〇ページ。

29 『ソクラテス（上）』、一四〇～一四三ページ。

30 『ソクラテス（上）』、一五五～一五六ページ。

31 『ソクラテス（上）』、一五六～一五七ページ。

32 『ソクラテス（上）』、一五八～一五九ページ。

33 『ソクラテス（上）』、一六〇ページ。

34 『ソクラテス（上）』、一六四ページ。

35 J. P. Sartre, ***L'être et le néant*** (1943) ／松浪信三郎訳『存在と無』人文書院（第一分冊一九五六、第

二分冊一九五八、第三分冊一九六〇）、第一分冊、二三一～二七〇ページ。また、桂愛景『サルトルの饗宴』サイエンスハウス（一九九一）、九四～九七ページも参照。

36 『ソクラテス（下）』、二七～二八ページ。

37 『ソクラテス（下）』、三〇ページ。

38 『ソクラテス（下）』、八〇～八一ページ。

39 『新・教育学のすすめ』、一八四～一八五ページ。

40 『新・教育学のすすめ』、二〇九ページ。

41 D. Bohm, *Fragmentation and Wholeness*（1976）／佐野正博訳『断片と全体』工作舎（一九八五）。以下、本書からの引用は、本文で〔〇〇頁〕としてページを示す。

5章　日本社会における人間関係

1 「和」の社会とその課題

時・空間における諸要素の整合

私たちの倫理においては、批判あるいは検討の対象となる考え方の内部に入り、その(a)事実との対応、(b)首尾一貫性、そして(c)一般性を追求します。言い換えれば、倫理では、現実の人間的課題の解決をめざし（↓事実との対応）、時・空間におけるあらゆる要素の結合（↓一般性）とその整合（↓首尾一貫性）を求めます。この事情を《形而上学的》に表現したのが4章の2で紹介した「ボーム・モデル」であり、そこでは、「善」は人間生活のあらゆる側面の相互適合を拡大・深化させるものでした。

また、倫理的考察を深めていけば単純な一事象も時・空間を超えてさまざまな事柄と関わってきます。このことは、具体的には、2章の2における本多の議論にみることができます。このように、倫理的考察の本質は、時・空間におけるあらゆる要素相互の整合の追求にあります。

空間的対決の欠如

ところで、この観点からすれば、日本社会は概して、《伝統的に》反倫理的であったようにみえます。そこでは、本来矛盾する諸要素が、整合を追求されることなく、場合によっては整合の追求を排して、雑居しているのです。現在は相対主義が社会に蔓延していますが、それは一面では、日本社会の伝統とうまく適合しているのです。

すでに2章の4で触れた丸山真男の著書『日本の思想』は、矛盾する諸要素の雑居ぶりを記述しています。日本では、「学者や思想家のヨリ理性的に自覚された思想を対象としても、同じ学派、同じ宗教といったワクのなかでの対話はあるが、ちがった立場が共通の知性の上に対決し、その対決のなかから新たな発展をうみ出してゆくといった例はむろんないわけではないが、少なくもそれが通常だとはどう見てもいえない※」(傍点は原文、本節以下同様[*1])。「問題はむしろ異質的な思想が本当に『交』わらずにただ空間的に同時存在している点にある[*2]」。このような事態を、あとの議論のために、私は「空間的対決の欠如」と呼んでおきます。なお、ここで「異質的な思想」というのは、互いに対立する思想、すなわち矛盾する思想のことです。

※丸山は自身も「ちがった立場が共通の知性の上に対決し、その対決のなかから新たな発展をうみ出してゆく」ことを避けたようである(2章の4)。

過去との対決の欠如

思想と思想との間に本当の対話なり対決が行われない社会では、思想の伝統化は望むべくもありません。そこでは、思想が、対決と蓄積の上に歴史的に構造化されるということがないのです[*3]。そして、丸山は次のように続けます。「むしろ過去は自覚的に対象化されて現在のなかに『止揚』

されないからこそ、それはいわば背後から現在のなかにすべりこむのである。思想が伝統として蓄積されないということと、『伝統』思想のズルズルべったりの無関係な潜入とは実は同じことの両面にすぎない。一定の時間的順序で入って来たいろいろな思想が、ただ精神の内面における空間的配置をかえるだけでいわば無時間的に併存する傾向をもつことによって、却ってそれらは歴史的な構造性を失ってしまう」[*4]。したがって、そのような中では、「新たなもの、本来異質的なものまでが過去との十全な対決なしにつぎつぎと摂取されるから、新たなものの勝利はおどろくほどに早い」[*5]。このような事態を、あとの議論のために、私は「過去との対決の欠如」と呼んでおきます。

「新たなものの勝利の早さ」を理解するには、その逆にある「それはもう古い！」という表現の効果を考えてみればわかります。「古い」ということは、誤っているということですらない。それはもう無用で関わりがないという意味なのです。

私たちの倫理的検討の方法は、実は《パラダイム転換》の本質に関わります。それは、古いものを足場として古いものと対決し、新しいものを生み出す仕方なのです[*6]。パラダイム転換における新旧両理論の関係は、一方が他方を母体とすると同時に、両者の間には断絶があります。この関係を私は「のりこえ」と呼んでいます[*7]。このように、過去——古いもの——との対決により（上の丸山の言葉を借りれば）「過去は自覚的に対象化されて現在のなかに『止揚』され」るのですが、日本の社会ではこれが決定的に欠けているのです。

思想の部品化

過去は対決を経ずして次々と忘却されます。したがってそれは、必要に応じ、突如として思い出されることがあります。「本来無時間的にいつもどこかに在ったものを配置転換して陽の当たる場所にとり出して来る」ので[*8]、新しい思想が現れても、それは過去のストックの中の組み合わせでいくらでも似たようなものを再現できます。これは、ボームが繰り返し指摘した思想の断片化（部品化）なのです。これにより、「『超進歩的』思想が政治的超反動と結びつくというイロニーが生まれるので」す[*9]。

同様にして、「ヨーロッパの哲学や思想がしばしば歴史的構造性を解体され、あるいは思想史的前提からきりはなされて部品としてドシドシ取入れられる結果、高度な抽象を経た理論があんがい私達の旧い習俗に根ざした生活感情にアピールしたり、ヨーロッパでは強靭な伝統にたいする必死の抵抗の表現にすぎないものがここではむしろ『常識』的な発想と合致したり、……といった事態がしばしばおこる」[*10]（「……」は引用者による原文の省略、本節以下同様）。「たとえばニーチェの反語やオスカー・ワイルドの逆説は、キリスト教……の長年涵養した生（レーベン）の積極的肯定の考え方が普遍化している社会でこそ、そこに現実とのはげしい緊張感がうまれるが、日本のように生活のなかに無常観や『うき世』観のような形の逃避意識があると、ああしたシニシズムや逆説は、むしろ実生活上の感覚と適合し、ニヒリズムが現実への反逆よりもむしろ順応として機能することが少くない。ここでは逆説が逆説として作用せず、アンチテーゼがテーゼとして受けとられ愛玩される。たとえば世界は不条理だという命題は、世はままならぬもの、という形で庶民の昔からの常識になっている」[*11]。

《ありのままの事実》

丸山は、上記のような日本の思想的《伝統》が、神道における思想的雑居性に集約的に表現されているといいます。本居宣長（一七三〇～一八〇一）は「一切の抽象化、規範化を……斥け、……感覚的事実そのままに即こうとした……。……そのあげく、一切の論理化＝抽象化をしりぞけ、規範的思考が日本に存在しなかったのは『教え』の必要がないほど事実がよかった証拠だといって、現実と規範との緊張関係の意味自体を否認した。そのために、そこからでて来るものは一方では生まれついたままの感性の尊重と、他方では既成の支配体制への受動的追随となり、結局こうした二重の意味での『ありのままなる』現実肯定でしかなかった」[*12]。

そしてさらに、「宣長の方法は社会的＝政治的な面では逆に『儒を以て治めざれば治まりがたきことあらば、儒を以て治むべし。仏にあらではかなはぬことあらば、仏を以て治むべし。是皆其時の神道なればなり』（『鈴屋答問録』）という機会主義※をもたらし」た、と丸山はいいます[*13]。ここで、「儒」は儒教、「仏」は仏教のことです。いずれも宣長（神道）にとっては批判的対象なのですが、同時に宣長は、必要なら、儒教も仏教も使えばいいのだといっているのです。

※御都合主義、日和見主義（opportunism）のこと。

これはもちろん、別に難しいことでもわかりにくいことでもありません。よく言及されるありふれた話を引用すると、日本人はお盆は仏教で、クリスマスではキリスト教徒の行事に参加し、新年は神社に参詣する、ということなのです。ここでは、宗教が部品にまで分解されて、雑居しています。私はこれは、多元主義とも思想的寛大とも無縁なものと考えています。

科学史家で教育学者の板倉聖宣は、事実をありのままに認めることは科学的精神に対立するものであっても、その基礎となるものではないこと、そして明治以前の日本に科学が育たなかったのは日本人に実証的な精神が欠けていたためではなく、合理的に考える習慣がなかったからだと指摘しています。*14 それは、上記の宣長の態度――生まれついたままの感性の尊重と「ありのままなる」現実肯定――を反面教師としてよく理解できます。また、感性が社会的に条件づけられていて、ありのままの感性の尊重が結局は体制への受動的追随にしかならないことは、すでに本書で触れたことです。

過去への還元

思想や事態の「新しさ」は、時間軸上における飛躍（断絶）として定義されるものです。そこでは、新しいものは、単に古いものと違ったものなのではありません。新しいものは古いものを母体とし、古いものと対決して誕生するのです（一九六ページ）。したがって、「過去との対決の欠如」が常態である社会では、真の新しさを認識することができません。

第一、宣長のように論理的・抽象的思考を排除してありのままの感覚的事実につくのなら、確実なのは基本的に過去の存在（既存の諸要素）のみです。そこで、日本社会は、過去への還元ができない事態に直面するとうろたえるのです。

ルース・ベネディクトは第二次大戦中の日本人の振る舞いに関し、「どんな破局に臨んでも、それが都市爆撃であろうと、サイパンの敗北であろうと、フィリピン防衛の失敗であろうと、日本人の国民に対するおきまりのせりふは、これは前からわかっていたことなんだから、少しも心配することはない、というのであった。明らかに、お前たちは依然としてなにもかもすっかりわかっている世界の中に住んでいるのだと告げることによって、日本国民に安心を与えることができると信じたからであろう」と書いています。[*15]

「アメリカ人はその全生活を、たえず先方から挑みかかってくる世界に噛み合わせている――そしていつでもその挑戦を受けて立てるように準備している。ところが日本人はあらかじめ計画され進路の定まった生活様式の中でしか安心を得ることができず、予見されなかった事柄に最大の脅威を感じる」[*16]と対比しています。

この章の冒頭で私は、倫理的方法の本質が時・空間におけるあらゆる要素相互の結合と整合の追求にあると述べました。しかしながら、上で考察した日本社会における「空間的対決の欠如」や「過去との対決の欠如」の《伝統》は、それに真っ向から反するものです。この社会ではどうも、思想を断片化し、部品としてその場の都合に合わせて使用することが常態であったようです。それでは、そこでは一体どのような人間関係が形成され得るのでしょうか。

「和」の形成

ここでは「空間的対決の欠如」と「過去との対決の欠如」の二つが条件づける人間関係の在り方を便宜的に「和」と呼び、その生態を考察します。

「和」とは、その場その場における《流れ》、すなわち諸勢力の動的均衡点に人々の考えが合わせ込まれた状態をいいます。流れにおいては、通常、過去からの勢い――伝統の惰性、あるいは前例とか既得権――が重要です。ただし、たとえば外的要素の闖入などによってそれが乱された場合、「和」は新たに形成されなければなりませんが、それはそれほど困難なことではありません。時の勢いの強いもの、ハブリのよいものを見出し、それに合わせればよいのです。「長い物には巻かれよ」であるし「寄らば大樹の蔭」です。このとき、「過去との対決の欠如」の《原則》によって、過去のいきがかりは水に流されます。

時々、流れがよく見極められないことがあります。そういう場合によく使用される手法が《アドバルーンを揚げる》といわれるもので、このときの声明や談話は、話者の真意とは必ずしも一致しません。打ち上げられたバルーンに対する世間の反応を見るのが目的なのです。

このように、流れを見出し、場合によってはそれを導くことも「和」の社会では重要です。《根回し》と呼ばれる手法は、特定の局面において、流れを考慮に入れつつそれを意図する方向に導こうとするものです。

一方、「和」が成立したとしても、すべての人が満足なわけではありません。この場合、調停者や諸勢力の人々は、これまでの経緯における「貸し借り」をよく記憶しておく必要があります。これが、「過去との対決の欠如」を補償するのです。不満な人はこれに期待をつなぐことができます。

不満の処理

不満だからといって「和」を乱すことは、「事を好む」ものとして否定的に扱われます。そんなことをすれば、「村八分」によって、その「和」から流出するはずの利権のおコボレすらふいにしかねません。また、「和」を乱す行為は、元来否定的なものとして「和」の社会のメンバーの感性を条件づけています。「喧嘩両成敗」――つまり、争いはその理由を問わず当事者の双方が処罰されるのです。「世間をお騒がせする」こと自体が不都合なのです。「空間的対決の欠如」は、このようにして成立します。

それでも、この「和」には、大いに不満は残るでしょう。この場合可能なのは、論敵との対決ではなく、ミウチへの呼びかけであり、これにより自己の勢力の結束と強化をはかることができます。井上ひさしが、加藤周一との対談において、日本の政治家の言葉はいかめしい割には中身がないことを指摘し、「だれに向かって話すかといえば、国民や憲法にではなく、派閥や党、選挙区など後ろに向かって話している。論敵ではなく、家の子郎党を納得させるための言葉、まるで源平合戦のよう……」[*17]と述べているのはこの事情によります。また、「和」の社会での証言者が明らかなウソを公然と述べることがめずらしくないのは、証言者は実際にはミウチに向かって話しているからです。そのウソがミウチの利益を守るために有用であるなら、それは尊いし美しいのです。

「和」の社会においても論敵の思想を批判することはもちろんあります。しかし、それもやはり、論敵に向かってというよりはミウチ（あるいは、少なくとも、テキではない人々）を対象とするものです。そのやり方のひとつは、相手の人格を攻撃することによってその思想の信憑性を貶めることです。したがって、「和」の社会では、相手の意見に対する批判と人格への攻撃が混同されることがしばしばあります。

私たちの倫理的方法は、批判の対象となる思想の内部に入り込むべきことを主張します。一方、「和」の社会における思想批判は、それとは全く逆に、外的立場に留まることが特徴です。

「公（パブリック）」の問題

上に引用した対談において加藤は、日本の政治家の言動を対象とし、「言葉で相手を説得しようとはしない」こと、「共通の地盤に立ち、筋道をつけて相手を納得させる必要を感じていない」

ことを傲慢であると非難しています。これはカルル・ヴァン・ウォルフレンの指摘する、日本の「公」的社会における「説明する責任（accountability）」の欠如[18]と同じことなのだと思われます。この「説明責任」は、最近では一種の流行語のようになっていますが、それが十分に果たされることは稀です。

また、井上は、「会社のなかでは言葉がそれなりに機能していて、小さいながらも言葉の有効な体系がある。ところが会社と会社の間の『公』のところには、意思を通わせ合う回路がない」と言います。これらのことは、丸山が、（江戸時代のような社会では）「アカの他人の間のモラルというものは、ここではあまり発達しないし、発達する必要もない。いわゆる公共道徳、パブリックな道徳といわれているものは、このアカの他人同士の道徳のことで[19]」あると書いていることに対応します。アカの他人の間のモラルが発達しないから、「旅の恥は掻き捨て」ることができます。

記憶

「和」の社会ではこのように、「空間的対決の欠如」により思想的伝統が形成されず、それによって「過去との対決の欠如」が常態となります。さらに、重要なのは、「過去との対決の欠如」が逆に空間的対決を実現させるための手がかりを失わせているということです。「和」の社会のこのような在り方は、欧米社会とはもちろん、私たちの近隣における韓国・朝鮮や中国とも著しい違いがあるように思われます。それらの社会では、「過去との対決」は倫理的議論において極めて重要な位置を占めているようにみえます。

共産国家チェコにおける反体制作家だったクンデラは、「権力にたいする人間の闘いとは忘却にたいする記憶の闘いにほかならない」と書いています。[*20] このことは、私たちに、『神聖喜劇』の主人公が非常に優れた記憶力の持ち主であったこと（2章の5）を思い起こさせます。なお、ここでの記憶というのは、「過去との対決」における記憶です。他方、「和」の社会における「貸し借り」の記憶（「『和』の形成」の項）では、過去はすでに「水に流されて」いることが前提です。

また、過去との対決に関し日本とよく対比されるドイツでは、旧西ドイツ時代の一九八五年五月八日、敗戦四〇周年のとき、リヒアルト・フォン・ヴァイツゼッカー大統領が戦争責任に関する現在では大変有名になった演説を残しています。その中で彼は、ドイツ国民に対し、「我々全員が過去を引き受けねばならない」と訴えています。[*21] ここで「過去を引き受ける」とは、もちろん過去（の行為）を是認することではありません。それは過去を拒否し否定し断固それとの非連続を主張し、なおかつそれとのつながりを認めるということなのです。これが過去の責任をとるということの一般的内容です。[*22]

ヴァイツゼッカーはさらに述べます。「過去に目を閉ざす者は結局のところ現在にも盲目となる」。これは、すぐ上で述べた「『過去との対決の欠如』が逆に空間的対決を実現させるための手がかりを失わせている」ということに対応します。あるいは、少しあとで議論する、倫理における「時間軸に沿っての整合」と「時間軸断面（すなわち現時点）における整合」との関係を簡潔に言い表しています。

日本では、戦争責任の問題はいまだ見苦しい混迷の状態にあります。被害国に対する謝罪も、相手がどのくらいで納得するかという「和」の形成手法で対処され、自らの主体的総括にもとづくとはいいがたいものです。また、たとえば「従軍慰安婦」など、従来から公然とした問題であったにも関わらず、その事実を政府が認めたのは、比較的にあとになってのことであり、しかもそれも内外からの圧力の高まりという力関係によるものでした。また、現在においてすら、体制の中枢において、事実そのものを否定しようとする動きがあることはよく知られています。

競争

日本はいまだ、「和」の社会の要素が極めて強いようにみえます。しかしながら、そこでは同時に、さまざまな形態の激しい競争――企業間競合、受験、など――が併存しています。この事態は「対決の欠如」とは矛盾しないのでしょうか。

「空間的対決の欠如」と言った場合の「対決」とは、立場が相対する異質なものの間の関係を意味します。一方、日本社会における競争は、ほとんどが同じ土俵の上で同一の尺度で競い合うものです。このような形態の競争は、「和」の社会のような《均質》な集団のほうが過熱しやすいように思われます。また、空間的対決の欠如した社会は本質的に不活性になりがちと思われますが、競争はそれを活気づけるのに有効のようです。またこのところ、さまざまな集団において《いじめ》なるものが報告されています。これも決して「対決」ではありません。それは、（現実の、または仮想の）《異物》を排除することによる仲間うちの「和」を保つ儀式なのです。

ここまで書いてきて明らかなのは、「和」の社会が商売の世界とよく似ているということです。確かに、「空間的対決の欠如」と「過去との対決の欠如」が常態である社会は、《普遍》を信じていないように思われます。《普遍》とは時・空間を貫く原則のことです。普遍概念のない社会で通用し得る唯一の普遍的尺度は、「損得」のようにみえます。「過去との対決の欠如」を補償するのも貸し借りの記憶でした（「『和』の形成」の項）。貸し借りのほかには「義理」というような徳目を耳にすることはありますが、それは（その儒教的意味合いを除けば）過去における、あるいは将来において想定される「借り」にもとづく義務であるかのようです。となると、これも貸し借り勘定の一種です。この辺の事情が、ともかくも日本が《経済大国》となったことに何か関わりがあるのかも知れません。

日本企業の長期的視野？

「和」の社会では、「過去との対決の欠如」によって過去のいきがかりは捨て去られ、その場その場における流れに身を合わせていくことが本質です。一方、日本企業においては、その長期的視野にもとづく経営が特長とされ、その成功の要因のひとつとされました。ここでは、日本企業は、伝統的社会の呪縛を脱したかのようにみえます。

しかしながら、日本企業の長期的視野といわれるものは、本質的には、「過去との対決の欠如」を補償するものとして紹介した、「和」の形成における「貸し借り」関係の記憶と同じものなのです。それは、長期的人間関係を前提とした、経済取引の長期的関係のことであって、一定の原則を堅持して経営の舵取りをしていくこととは別です。

日本企業に比較して、合衆国の企業は短期的視野であるといわれましたが、それは主として、経営者に対する株主の短期的評価によるものでしょう。経営の時間軸に沿っての整合に対する関心は、私の知るところ、合衆国の企業のほうがはるかに高く、少なくとも大企業は常に具体的かつ明確な長期戦略を保有しているようにみえます（むしろ、そうでなければ組織が効果的・効率的に動かない面があるといってもよいでしょう）。一方、日本の企業においては、戦略とかヴィジョンといってもそれはかなり抽象的なものであり、また時代の流れに応じて、容易に変化あるいは解釈の変更が可能なものです。

新しいものの勝利

日本企業の成功といわれたものは、社会的伝統をのりこえた結果などではありません。それは逆に、「過去との対決の欠如」を含む「和」の社会の手法が、当時の国際的経済環境に極めてうまく適合したことにあると思われます。資本主義とは本質的に無原則なものです（だからいろいろな種類の資本主義があります）。とくに、近年のような《技術革新》の時代では、過去のいきがかりなどにこだわらず、その場その場の必要に応じて身を処していくことが生き残りに不可欠です。

同じ一般的名称がついた商品であっても、多くの場合、すでに構成技術や製造技術が異なってしまっています。技術が異なるということは、いままでその設計や生産、場合によっては販売に携わっていた人々の過去の蓄積がほとんど、あるいは全く不要になることを意味します。このような事態も、仕方のないものとして、あるいは当然のこととして、その場その場の工夫で切り抜けていかねばなりません。

たとえば、工場におけるロボットは、日本においてはほとんど抵抗なく受け入れられ生産性向上に大きな寄与をしてきましたが、ヨーロッパにおいては導入が遅れ、これが当時日本との競合に破れた一要因であるといわれました。丸山真男の観察の通り（一九六ページ）、日本では、このように、新たなものの勝利がおどろくほど早いのです。

kaizenの効用

日本企業が成功した分野は主として汎用技術です。そこでは、バラツキの少ない製品をできる限り安くかつ大量に生産することが競合に勝つためのキーでした。この目的を達するには、企業内の各部門（研究、設計・開発、生産、販売）は、それぞれの利害を抱えながら、その場その場の必要に応じ、密接に連携しなければなりません。ここでは、「和」の形成手法が大いに有効です。

同様なことは企業間関係にもいえます。トヨタの有名な「かんばん方式」など、先に触れた企業間取引の長期的関係に加え、極めて密な企業間連携がなければ成立不可能です。

また、バラツキの少ない製品をできる限り安くかつ大量に生産するという目的には、innovationというよりは、kaizen（改善）が有用であったようにみえます。そして、日本人技術者は概して、たとえば合衆国の技術者に比較し、innovationよりはkaizenのほうが得意――つまり、innovationが比較的には苦手――であると評価されました。

私の見解によれば、innovationもkaizenもともに現状における技術課題を解決するものであって、kaizenは決してレベルの低いinnovationのことではありません。両者は、同じように、工夫や創造性や発明の才を要します。両者の決定的な違いは、kaizenは課題解決の結果が従来の枠組みの内部で理解可能なものである一方、innovationは結果が従来の枠組みをはみ出す、ということにあります。

kaizenは集団においてその意義が理解されやすいものです。他方、innovationは比較的には他者に理解されにくいし、場合によっては内部的な摩擦の原因となります。企業内多部門の連携や企業間の協業において見出される課題の解決には、innovationよりはkaizenが有用であったのかも知れません。また、日本人技術者がinnovationよりはkaizenが得意であるということは、「和」の社会における風土とも大いに関わりがあります。すなわちこれは、先に述べた真の新しさが認識されにくいこと（二〇〇ページ）と関わります。能力の問題などではありません。

とはいえ、国際的企業間競合がkaizenだけで通用する時代はすでに過ぎ去っています。私たちはもはや、このままでは済まぬのです。

「和」の社会の課題：その安定性

これまでに考察した「和」の社会は、その感性が通用する範囲では、極めて安定したシステムです。国際的な人間関係における自分自身の振る舞いを省みても、「和」の社会による条件づけが実にうまくなされていることを見出して、その影響力にあらためて《感心》させられることがしばしばありました。また、「和」の社会の重視するその場その場の「流れ」といっても、多くの場合、それはそれなりの歴史的必然性を有しています。だから、それに身を合わせることが直ちに不合理というわけではありません。しかしながら、この安定な社会も、内的・外的要因によって、変化を強いられつつあります。

「過去との対決の欠如」は、「和」の社会が類似の誤りを、繰り返し発生させることの原因です。たとえば、政治スキャンダルがあります。これもいったんは大騒ぎになりますが、すぐに忘れ去られてしまいます。一九八八年に起こった「リクルート事件」では、その当事者であった代議士のひとりが事件の「風化」の速さにおどろいているという報道があり、こちらが逆におどろいたことがあったくらいです。しかしながら、忘れっぽいとはいっても、社会全体における漠然とした不信感は確実に蓄積されています。

「過去との対決の欠如」に関連した「和」の社会の在り方を、もうひとつ述べておきます。それは、非連続的な社会的変化は外的要因によってもたらされたかのように解釈される傾向にあるということです。つまり、それは、どうにもならない事故や災害のように、外から社会に降りかかってきたとみなされます。とはいえ、実際には、社会の内的要因のほうがずっと重要であるか、あるいは少なくともそれが無視できぬ寄与をしていることが多いのです。

この事情は、「和」の社会では真の新しい事態への対処が困難であることの反映です。「過去との対決の欠如」によって、歴史的変化の《必然性》が理解できないのです。また、外的要因を理由にしたほうが社会的には事態を受け入れやすいという事情もあります。それは世の人が身を合わせていくべき「流れ」の一種であるからです。

「黒船」とは、社会に大きな変化をもたらす外的要因の象徴です。日本社会におけるこのような要因の存在は外国にも知られるようになり、それはいまや、国際的には、端的に〝gaiatsu（外圧）〟と呼ばれています。大きな社会的変化を外的要因に帰すことは、歴史に対して主体的でないとか受動的であるとして、外的に批判することはできます。しかしその批判は、直接的には、この社会を内的に変化させる契機とはなりません。

安定を破る要因

一方、「和」の社会を内的に変化させ得る契機もわずかながら見え始めています。この社会の伝統においては、時・空間的に断片化されていたのは思想だけでした。他方人間関係は、よく知られている通り、ベッタリの相互依存にありました。だから「和」の形成ができたのです。しかし、現在は、人間関係の断片化――すなわち人間の孤立化――が進行しています。このひとつの要因は、社会が豊かになったことです。つまり、他人に合わせなくとも、生きてはいけるようになったのです。人間関係の断片化は思想の断片化と非常によく適合します。したがって、「和」の社会では、人間関係の断片化が、その思想的《伝統》にもとづき、加速されやすいように思われます。となると、この社会は、「空間的対決」の方法を知らず、かつ「和」の形成もできないという興味深い事態に至る可能性があります。

人間関係の断片化は時間軸に沿っても進行しています。すなわち、「和」の形成を支えてきた長期的人間関係の崩壊です。これは経済の《グローバル化》と企業間競合の激化により加速されています。

「和」の社会を揺るがす他の要因は、社会的少数派の存在です。すなわち、日本人の少数派としては、沖縄人やアイヌ、あるいは帰化外国人です。また、重要なのは在日外国人の存在です。さらに、特定の断面からみれば、日本人の「女」たちもいまだ十分に少数派の待遇を受けています。また最近では、障がい者や性的少数派の存在も着目されつつあります。

私には、これらおよびその他の少数派の人々の連携が、極めて徐々にではありますが、進行しつつあるようにみえます。これらの人々にとって、社会的な「和」の強制は概して受け入れにくいものです。

「和」の社会を外から見れば、多分、その問題は余りに明らかです。日本人には、その行動がどうもよくわからないという猜疑の眼が向けられています。私の見聞の範囲ではありますが、日本は欧米にとってだけでなく、しばしばアジアなど非欧米諸国にとってもわかりにくい存在のようです。

それは当然でしょう。ある人あるいは集団（の性格）がいかなるものかは、その人あるいは集団の振る舞いの、時間軸に沿っての整合の仕方――自己の状況をどう受けとめ挫折・克服してきたか――によって定義されるのです[*23]。

「過去との対決」が欠如し、外圧としての相手の出方によって右往左往する、そしてその右往左往の仕方が相手の腕力や声の大きさの違いで大きく変化する、となるとその国民性の誠実さは信頼のおけぬものとなるでしょう。

先には日本企業の特徴を考察しました。注意すべきは、それらの特徴の多くは、「和」の社会の感性が通用する範囲においてのみ、有効に作用するものであったということです。一方で経済のいわゆる《グローバル化》は自然現象のように進行しています。先頃の日本の経済的《成功》はいわゆる「ボーダーレス経済」によるものでした。一方、経済がボーダーレスになればなるほど、国家間の相互依存が強まってきます。私たちはすでに、人間関係に関する私たちの伝統的な課題解決の手法が全く通用しない世界に投げ込まれているのです。

2　現代社会と情報技術

発明物

この節では、現代社会における人間と、インターネットで代表される情報技術との関係を考察します。人間の本質がその人間関係にあることはすでに触れました（一五一ページ）。他方、情報技術はコミュニケーション――人間間における情報伝達――のための強力な道具です。したがってそれは、人間の本質に深く関わるものと考えられます。

インターネットは発明物です。いかなる発明も当初は既存の秩序を前提とし、そこに新規で有用な手段をもたらすものです。ある種の発明はその後社会の秩序に深く浸透し、有用な手段という以上に、まずは人がそれに適応すべき対象になります。そして、発明に適応した人々は、概して発明者とは異なった仕方で発明物に接するようになります。人は今度は、いわば発明物によって《つくられ》ます。インターネットはまさしくそのような発明物のひとつです。

社会環境を構成するようになった発明物は、社会にさまざまな新しい事態をもたらすようにみえます。しかし多くの場合、それら事態はすでに社会に生じている動きを加速したものか、あるいは先鋭化したものに過ぎません。したがって、発明物の影響を考察するためには、まずはそれが置かれている社会の動向に着目する必要があります。

市場

現在の社会では「変化」――変わること／変えること――が求められています。変化とは「差異」をつくり出すことです。この要求は一般に、社会における閉塞感の現れとされています。しかし資本主義は元来、差異にもとづくものです。商人資本の段階では、それは各共同体間の交易（遠隔地貿易）での差額です。産業資本においては、技術革新による差異化で得られる超過利潤です。絶え間ない差異化の追求は資本主義の本質です[*24]。

市場は本質的に無政府的です。すなわち、時間軸断面においても時間軸に沿ってもデザインがなされておらず、「その場限り」です。そこで求められているのは変化なのであって《よりよい》方向への変化――進歩――ではありません。市場への投資で利益を得ようとするとき、着目されるのは差異です。株式市場や為替相場では、指標の上昇も下降も差異を通じて利益をもたらし得ます。ディーラーは指標の乱高下の中で収益を得ることが仕事です。彼らにとって、相場の安定は最も望まれぬものです。

とくに近年では市場の《グローバル化》により国境が消失し、無政府的様態はより顕著となりました。莫大な資金が短期間に国境を越えて移動し、市場の不安定化をもたらしています。また企業間競合が激化し、利益争奪的側面があらわとなって、短期的利益の確保が優先される傾向にあります。各企業には、市場の動向を敏感に察知し、それに合わせて身を変えることが求められています。

時間軸上での整合

私たちの倫理では、人間の選択とそのベースとなる思考に対し、首尾一貫性を要求します。ここでは「首尾一貫性」を短く「整合」ともいうことにしましょう。私は、倫理で要求される整合は、時間軸に沿ってのものと時間軸断面※のものに分けて議論するのが有用であると考えています。両者はしばしば両立しないことがあります。たとえば、ある時間軸断面においては資源を消費し尽くしたいのだが、時間軸に沿っての整合を考慮すれば、抑えなければならないといった事態が発生します。

※「時間軸断面」では同時刻（あるいは同時代）における関係が表現される。並存する空間的諸事象は時間を共有しているので、それらは時間軸断面に存在する。

時間軸断面における整合は、人がその都度を生き抜くために必要です。一方、時間軸に沿っての整合は、すでに前節末で触れましたが、人間のいわば「人柄」や「人格」に関わるものです。すなわち、彼――または彼女――がいかなる人物であるかは、時間軸に沿って自己をどう整合させるかによって評価されます。また、彼がいかなる人物であれ、時間軸に沿っての整合はその誠実さに関わり、倫理の本質をなします。

しかし、無政府的な市場経済を土台とした現在の社会では、時間軸に沿っての整合などには関わりなく、その都度の必要に合わせて身を処すことが強いられています。これは極めて非倫理的事態です。

「過去」「現在」「未来」という三つの時間次元は人間――対自存在――による統合によってこの世界にもたらされるものです。[*25] 統合とは整合を追求する行為です。統合がなければ、「現在」が惰性的に存在し続けるだけです。

価値規範の消失

社会には相対主義が蔓延しています。相対主義の本来の意味は、絶対的な価値基準を認めないことにあるのでしょう。しかし、現在蔓延中の相対主義は、絶対的な価値基準が存在しないのだから、あらゆる価値は等価である――あるいは等価であるとみなすべきである――と主張しているかのようです。

現代の相対主義の直接的な起源は、「文化相対主義」を主張した構造主義でしょう。文化相対主義とは、文化を評価する絶対的な尺度はなく、それぞれの文化はそれぞれの基準をもつという思想です。[※] その後の《ポスト・モダン》の諸思潮においては、さらに《進んで》、「真理」や「正義」の概念までが否定の対象となりました。

※この主張には私は完全に同意している。かといって、これにより、《ポスト・モダン》のいうように、「真理」や「正義」が消失してしまうわけではない。また、関連しては、本節末尾のメッ

セージも参照せよ。

また、科学史の領域から拡がったトーマス・クーンの「パラダイム論[*26]」においては、《通約不可能性》なる概念が散布されました。すなわち、各パラダイムはそれぞれの基準を有していて、パラダイム間ではコミュニケーションは不可能との主張です。これによって、科学の客観性および科学における進歩の概念が否定されました[※]。

※クーンの「パラダイム論」は理論的に未完成であった。しかし、未完成品でも商品として世に出てしまえば、それはレッキとした欠陥品である。クーン自身は欠陥を自覚し、その市場からの回収を試みたが、商品はその欠陥ゆえに主として科学以外の領域で大きな歓迎を受け、そのまま普及してしまった[*27]。

このようにして、共通の価値規範は消失しつつあります。この状況は、先に時間軸に沿っての整合との関連で述べた、社会における非倫理的事態と相応します。いまや、共通に信じられる価値といえば、《経済的》なもののみになってしまったようです。ここでは、とりあえずは、「売れるもの」「うけるもの」がハブリをきかせます。

人間関係の希薄化

共通の価値規範が存在しないとすれば、異なった価値観の人々の間で衝突が生じた場合、それは調停の仕様がないと考えられます。このような社会で円滑に過ごすためのひとつの方法は、価値観を共有する人々とのみ親しくし、そうでない人々とはできる限り立ち入った付き合いを避けることです。とくに若い世代の人々の振る舞いにおいては、異なった価値観の間では価値に関わる立ち入った交流を避けるべきことが《本能的》な前提となっているようにみえます。

また、現在の比較的に豊かな社会は、そのような生き方を可能にします。嫌な他人と密に接しなくても《結構やっていける》のです。家庭の中をみても、少なからぬ子供たちが個室をもっています。これにより小うるさくてうっとうしい父親や母親を避けることができます。これの行き着く先が、最近では全然めずらしくもない「引きこもり」です。これは「人間関係の断片化」を象徴します。

擬似社会としてのインターネット

社会では、人間の孤立化が進行し、また人々は時間軸に沿っての整合よりも、その場の必要に合わせて身を処すよう強いられています。この両者には密接な関係があります。時間軸に沿っての整合は、各人に対し、社会的に——すなわち人間関係において——要求されるものです。人間関係が疎遠になれば、そのような要求は弱まります。インターネットは、このような社会において急速に普及しました。それは私たちにいかなる影響をもたらしつつあるのか。

現在は、その気になれば、ほとんどインターネットのみで生活が可能になります。インターネットを通じて他者と交流し、仕事をし、娯楽に接することができます。その他の必要最小限の行為――たとえば、宅配便の受け取り、コンビニでの買い物、等――は、ほとんど「機械的」な人間関係で処理できます。すなわち、インターネットにより、生身の人間関係の多くを避けることが可能となりました。人間関係をサポートする手段としてのインターネットが、人間関係の代替物となりつつあります。インターネットはディスプレイを窓口とする擬似社会を構成します。

インターネットにおける《人間関係》

人は通常、社会的に位置を得るためには、人間関係における大小の試練をのりこえなければなりません。しかし、インターネットの社会では、単なる一方的な情報発信が《社会的》意義を帯びてきます。すなわち、それは不特定の他者にさらされたのであり、またそれには何らかの応答もあることでしょう。これにより発信者は、ある種の社会的位置を得たかのように感じることができます。

いかなる環境においても、人間関係は人間の本質です。いわゆる「ネット中毒」は、特殊な仕方での、社会性を追求する行為と見ることができます。たとえば、絶えず《スマホ》を手にし、ディスプレイを眺める行為です。

ただしこれは、擬似社会に過ぎません。社会における現実の人間関係では、自己の言動の整合性が要求されます。人は生まれてから現在まで、この要求を受けてその「人となり」を形成してきたのです。しかし、インターネット上では、整合性の要求は希薄です。これは本質的相違です。

インターネットは無政府的です。それは、全体としては、異物の並存の状態にあります。その構成要素間における整合は、あったとしても局所的です。とくに時間軸に沿っての整合は希薄です。インターネットはまさに不断の「現在」の継続（二一八ページ）にあります。このインターネットの無政府性は、市場経済の無政府性と相応します。

「ほとんどインターネットのみで生活可能」とはいえ、それでも生身の人間関係は避けることができません。したがって、仮にその訓練が十分でないとしたら、社会ではさまざまな問題が引き起こされることになるでしょう。

ひとつの症例

信友建志は、「大きな変革を迎えているコミュニケーションスタイルを特徴とする情報文化のなかを生きる人間の抱えるこころの構造を切り出」すとして、ドイツの精神神経学誌に報告された症例を考察しています。[*28] 患者は三九歳の女性です。彼女には、自己の支援者ないしは同伴者、あるいは自己自身として、四八種の声（幻聴）が存在しました。そして、その声のそれぞれには、名前と人格が割り振られていました。その後、彼女はインターネットのチャットを通じてある男性と知り合いになり、やがて直接の交際を結ぶようになりますが、その頃から二つの支配的なアイデンティティにより制御された発作が頻繁かつ持続的に起きるようになりました。彼女は、アカウントを使い分けることによってネットのチャットルームに「ログイン」し、二つの異なった人格を築いたのです。これに気づいた男性からの勧めもあり、彼女は精神科の診察を受けて「解離性人格障害」（いわゆる「多重人格」）と診断されました。

「彼女がネット空間の中に紡ぎ出す物語は、相互に一貫性を欠き、また同一著者名義という最低限の統一性すらもたない」。インターネットでは、極端な場合、このような《人格形成》が可能になります。信友は、患者が、「人生の危機や変動に際し、それを自我理想のもとに一貫した歴史に統合しないまま、とにかくその都度多数の自我を並べることで、自我の支えを見いだしていた」（傍点引用者）と指摘します。これは、私の表現によれば、時間軸に沿っての整合を避けて、その都度の時間軸断面での必要に合わせたということです。ところが、「実際に一人の男性の前に身を晒さねばならなくなると、……どれかひとつの自我理想に統一された自画像を演じるという要求が課される。彼女の解離的な症状は、統合でなく分割統治という以前からのやり方を極端化する〔すなわち、二極化する〕ことでかつての安心感を強引に取り戻そうという試みなのであると解釈できる」（「……」は引用者による原文の省略、また〔　〕内は引用者による挿入）。それゆえ、ネット上のパートナーとの距離が狭まっていくとともに、上記発作が頻繁かつ持続的に起こるようになったと信友は報告します。

この節の冒頭に記しましたが、このような病はインターネットによって新たに生み出されたものではありません。それは、社会においてすでに生じている動きを、加速あるいは先鋭化したものに過ぎません。信友もまた、精神障害を抱える者の多くは「社会的変動をいち早く捉え、それにいささか不器用な仕方で適応しようとしている」と書いています。

インターネットが加速するもの

ここで私が想起するのは、前節での考察と関連しますが、日本社会において日常化している《宿痾》です。すなわち、危機や変動に際し、それを時間軸上で統合することなく、その都度異質な要素を並存させることで、その場を切り抜けるというやり口のことです。こちらのほうは、「解離性人格障害」とは異なり、現在のところとくに病として認識されているわけではありませんが、インターネットはこの《宿痾》を加速するのではないでしょうか。「異質の要素を並存させる」とは、卑近な例でいえば、自己の過去の状況に関わる整合を問われたとき、「人生いろいろ、会社もいろいろ」（首相・小泉純一郎、二〇〇四年）といったその場しのぎの応答で取り繕うことです。あるいは、現在国際的論議の対象となっている「歴史認識」とは、まさに時間軸上での整合に関わる問題です。

経営の困難

企業経営者・竹中治夫はかつて、時間軸断面での整合を図るのがミドルマネージメントの役割——管理——であり、時間軸に沿っての整合を図るのがトップマネージメントの役割——経営——であると指摘しました。[*29] この意味で、現在は「経営」の困難な時代です。

※私は、人間や人間集団の振る舞いに関わる整合の問題を時間軸断面と時間軸上に分けて考察する仕方を、竹中から習った。

しかし、いかに経営が困難な時代であるとはいえ、時間軸に沿っての整合の追求よりも、その都度その場を切り抜けることが優先されれば、組織は明らかにその健全性を失います。パソコンなど情報機器の導入によりオフィスでは各人の業務プロセスが見えにくくなっています。このような中で時間軸に沿っての整合の追求が希薄であるということは、極論すれば、破綻するまで――すなわち、時間軸上での継続が不可能になるまで――不具合がわからないということです。これは、個々の社員においては、たとえば現在社会問題化しているウツや過労死として現れます。また、いくつかの企業において、その存亡に関わるような事故や《不祥事》が発生しているのは、まさにこのためと考えられます。現在の組織の問題は、経営が不在となり問題が顕在化しにくいということにあります。

展望

人間や組織が健全であるためには、時間軸に沿っての整合の追求は重要です。そのような整合の追求がなおざりにされた状態では、インターネットを含む情報技術は、不整合を隠蔽・拡大することになるでしょう。これは、すでに述べましたが、日本社会にとっては大きな課題です。仮にこのことが課題として認識されたとするなら、私たちのなすべきことは明らかです。私たちは、組織や社会に生じる大小の問題が、その場の「勢い」や「成り行き」ではなく、できる限り「理に適った」仕方で――すなわち、倫理的に――解決がなされるよう配慮・行動しなければなりません。

すでに社会には相対主義が蔓延し、共通の価値規範が消失しつつあることを述べました。しかしながら、共通の価値規範がなくても、多様な価値の間でのコミュニケーションは可能なのです。それが私のいう「方法」なのであって、それは互いに相手の考えに入り込み、相手の価値基準でもって相手の考えをできる限り首尾一貫して理解するものです。これによれば、互いの思考における整合性が試されると同時に、実質における人間関係の深化がもたらされます。「文化相対主義」の起源となったレヴィ＝ストロースの人類学的調査[*30]も、実は、この方法が採用されていたからこそ彼の発見に到達できたのであり、その発見は、反作用として、彼をその一員とする西欧社会に大きなインパクトを与えたのです。

注

1　2章注9の『日本の思想』、四ページ。
2　『日本の思想』、六四ページ。
3　『日本の思想』、六ページ。

4　『日本の思想』、一一ページ。
5　『日本の思想』、一二ページ。
6　2章注19の『理論の創造と創造の理論』、一章。唐木田健一『アインシュタインの物理学革命』日本評論社（二〇一八）。また、本書七六ページにおける柴谷からの引用も参照。
7　『理論の創造と創造の理論』、三章。
8　『日本の思想』、一二～一三ページ。
9　『日本の思想』、二四ページ。
10　『日本の思想』、一四ページ。
11　『日本の思想』、一六～一七ページ。
12　『日本の思想』、一九～二〇ページ。
13　『日本の思想』、二一ページ。
14　板倉聖宣『科学と方法』季節社（一九六九）、四〇ページ。
15　R. Benedict, *The Chrysanthemum and the Sword*（1946）／長谷川松治訳『菊と刀』講談社（二〇〇五）、四一～四二ページ。
16　『菊と刀』、四四ページ。
17　井上ひさし・加藤周一「対談：言葉と時代」『朝日新聞』一九九三年一月一日朝刊、一三面。
18　K. van Wolferen／篠原勝訳『人間を幸福にしない日本というシステム』毎日新聞社（一九九四）。
19　『日本の思想』、一六〇ページ。
20　M. Kundera, *Le livre du rire et de l'oubli*（1979）／西永良成訳『笑いと忘却の書』集英社（二〇一

三)。

21 たとえば、永井清彦訳『荒れ野の四〇年』岩波書店(二〇〇九)。

22 4章注35の『サルトルの饗宴』、一〇六~一〇七ページ。

23 『サルトルの饗宴』、九八~一〇二ページ。

24 柄谷行人『終焉をめぐって』福武書店(一九九〇)、一五五~一五七ページ。

25 4章注35の『存在と無』(第一分冊)、第二部第二章。

26 T. S. Kuhn, ***The Structure of Scientific Revolutions*** (1962, 1970) /中山茂訳『科学革命の構造』みすず書房(一九七一)。

27 唐木田健一「トーマス・クーンの『コペルニクス革命』と彼の〝パラダイム論〟」『化学史研究』第三一巻(二〇〇四)、二一五~二二四ページ。

28 信友建志「心の境界線——情報化社会のなかで」『情報文化学会論文誌』第一〇巻(二〇〇三)、八三~九〇ページ。

29 竹中治夫「すべての開発に相補性をもったマネジメントを」『JMAジャーナル』一九八五年一二月号、一九~二三ページ。

30 C. Lévi-Strauss, ***Les structures élémentaires de la parenté*** (1946) /福井和美訳『親族の基本構造』青弓社(二〇〇〇)。

あとがき

本書のいう「方法」（2章1）は、現在の日本の《中央》における人々の振舞いとは正反対です。すなわち、そこでは都合のよい事実のみが着目され、場合によってはねつ造され、不都合な事実は改竄・隠蔽・無視されています。また、首尾一貫した思考は軽視され、その場しのぎの説明、あるいはあからさまな説明拒否が、少なからぬ選挙民の支持もあって、まかり通っています。

本書のいう「方法」は自然法則ではありません。それをその都度無視することは可能です。しかし、事実にもとづかず首尾一貫した思考が欠落しては、事態は破局に向かうばかりです。破局とは、個別の事例ではたとえば原発事故であり、国家的な出来事としては敗戦です。すでに、破局を待つしかないという考えもあります。しかし、私としては、彼らの導く破局への巻き添えは御免こうむりたいところです。

このような社会の風潮に対抗する活動（たとえば「ファクトチェック」）はすでに始まっています。しかし、アメリカの例をみてもわかるように、それだけでは十分ではありません。私たちとしては、もっと身近な場所——たとえば、各自の職場——において、このようなあからさまな反倫理的事態（2章6、ほか）を地道に正していくことが必要でしょう。私などのかつての見聞によれば、根拠の明確な事実にもとづいて首尾一貫した思考をしないと、まともな社会では相手にされないことを、社会人以前の若い人々に痛感させるよい機会のひとつに「卒論」があったと思うのですが、現在の学校ではちゃんとその機会の活用がなされているのでしょうか。

本書における私の意図は、確かな諸事実にもとづき、首尾一貫した思考をしないと商売（仕事）にならない分野（すなわち、科学・技術分野、一般には専門職分野）にいる比較的に若い世代の人々に、より自覚的な思考を勧めることにあります。ここで重要なのは、そのような人々を指導・監督する立場にある人です。現在の社会の風潮に条件づけられた若者でも、職場の上司の理に適った助言や指示は無視できないでしょう。また逆に、職場を管理・運営する人が理に適った思考をしていないとすれば、その組織の破綻は比較的短期のうちに誰の目にも明らかになります。

倫理的問題は一部の《エリート》科学者や技術者にのみ関わるものではありません。大小の企業の《不祥事》からも明らかなように、誰もが巻き込まれ得るものです。著者としては、組織の中で専門職としての仕事をする人々に対し、本書が生き方の選択に意義ある寄与のできることを願っています。

＊

最後に、本書の一部のもととなった私の論文を次に示しておきます。ただし、本書に採用するにあたっては、大小の編集がなされていることをお断りしておきます：

・1章の2。「倫理以前」『科学・社会・人間』九二号、二〇〇五年三月、三九〜四六ページ。
・2章の1、2、4、5、7。「異なった価値観の間におけるコミュニケーションの方法」『湘南科学史懇話会通信』（猪野修治氏責任編集）第一〇号、二〇〇四年一月、三六〜五四ページ。
・3章の2。「理論の〈科学的〉構築：四〇年後の水俣病原因究明の場合」『化学史研究』第二九巻、二〇〇二年、一〇〇〜一〇七ページ。
・3章の3。「紹介：『東海村「臨界」事故』、『告発！サイクル機構の「四〇リットル均一化注文」』」『化学史研究』第三二巻、二〇〇五年、一九四〜一九七ページ。
・4章の2。「〝ニューサイエンス〟と倫＝理」『科学・社会・人間』三三号、一九九〇年七月、一〇〜一九ページ。
・5章の2。「インターネットが加速するものについての一考察」『情報文化学研究』第四号、二〇〇五年一〇月、四二〜四六ページ。

二〇二一年八月

唐木田　健一

https://blog.goo.ne.jp/kkarakida/

[著者略歴]

唐木田　健一（からきだ　けんいち）

1946年長野県長野市に生まれる。1970年東京大学理学部卒業。1975年同大学大学院理学系研究科博士課程修了、理学博士。富士ゼロックス株式会社勤務。同社において技術部員、材料技術研究所主任研究員、総合研究所研究推進部長、基礎研究所長、総合研究所主席研究員、等を務める。技術者としての専攻は電子写真材料。著書に『現代科学を背景として哲人たちに学ぶ』（ボイジャー・プレス、2019）、『アインシュタインの物理学革命』（日本評論社、2018）、『ひとりで学べる一般相対性理論』（講談社、2015）、『原論文で学ぶ　アインシュタインの相対性理論』（ちくま学芸文庫、2012）、『生命論』（批評社、2007）、『エクセルギーの基礎』（オーム社、2005）、『1968年には何があったのか』（批評社、2004）、『理論の創造と創造の理論』（朝倉書店、1995）他。また、桂愛景（けい　よしかげ）のペンネームで『戯曲　アインシュタインの秘密』（サイエンスハウス、1982）他の著書がある。

科学（かがく）・技術倫理（ぎじゅつりんり）とその方法（ほうほう）

2021 年 10 月 4 日　初版第 1 刷発行　　定価 2400 円 + 税

著　者　唐木田健一 ©
発行者　高須次郎
発行所　緑風出版
〒 113-0033　東京都文京区本郷 2-17-5　ツイン壱岐坂
［電話］03-3812-9420　［FAX］03-3812-7262［郵便振替］00100-9-30776
［E-mail］info@ryokufu.com［URL］http://www.ryokufu.com/

装　幀　斎藤あかね
制　作　R 企 画　　印　刷　中央精版印刷・巣鴨美術印刷
製　本　中央精版印刷　　用　紙　中央精版印刷　　E1200

ISBN978-4-8461-2117-4　C0040

◎緑風出版の本

■全国どの書店でもご購入いただけます。
■店頭にない場合は、なるべく書店を通じてご注文ください。
■表示価格には消費税が加算されます。

科学者の社会的責任を問う
荻野晃也著

四六判上製
二七二頁
2500円

核兵器の反対を訴える一方で、原発は原子力の平和利用だ、とする世論が作り出されていった事への不信感を出発点に、科学者らの社会的責任を改めて問い、その社会的使命を考える。安全性論争を担った著者の闘いの軌跡。

米国の科学と軍産学複合体
米ソ冷戦下のMITとスタンフォード
スチュアート・W・レスリー著/豊島耕一・三好永作共訳

A5判上製
三七六頁
4000円

現代アメリカの理工系有名大学MITとスタンフォードにおける、第二次世界大戦から米ソ冷戦期の軍事研究を、個人と組織の両面から描いたドキュメンタリー。研究者が軍事研究にどう組み込まれていったかを明らかにしたもの。

名医の追放
滋賀医科大病院事件の記録
黒藪哲哉著

四六判並製
二〇八頁
1800円

前立腺癌の名医のいる滋賀医大病院。泌尿器科のボス医師らが、患者をモルモットに⁉ その暴挙を告発・阻止し、患者を救った名医を病院が追放。患者の命より病院幹部のメンツを優先する〝黒い巨塔〟の闇に迫る!(山口正紀)

憲法を生きる人びと
田中伸尚著

四六判上製
二七二頁
2400円

日本国憲法の改憲潮流に抗している市民がいる。それはここに登場する10人の市民の物語が語っている。戦後市民が戦争と敗戦によって生まれた憲法を生きて、鮮やかに闘っている姿だ。かれら憲法を生きる人びとを追った。

崩れゆく文民統制
自衛隊の現段階

纐纈　厚著

四六判上製　二四八頁　２４００円

本書は、自衛隊制服組による自衛隊背広組の文官統制破壊の歴史的経過を詳述、自衛隊制服組の右翼的思想を分析し、同時に、現行平和憲法を守るなかで、自衛隊の文民統制をどのようにして実質化・現実化して行くかを提言する。

日本軍性奴隷制を裁く
二〇〇〇年女性国際戦犯法廷の記録

ＶＡＷＷ－ＮＥＴ Ｊａｐａｎ編

〔全六巻〕　四六判上製　揃１８７００円

一五年戦争中の日本軍による「従軍慰安婦」制度によって戦時・性暴力の犠牲となった多くの女性。名誉を回復したい被害女性の願いに応え開かれた「二〇〇〇年女性国際戦犯法廷」の記録。山川菊栄賞特別賞、ＪＣＪ特別賞受賞。

石油の隠された貌

エリック・ローラン著／神尾賢二訳

四六判上製　四五二頁　３０００円

石油はこれまで絶えず世界の主要な紛争と戦争の原因であり、今後も多くの秘密と謎に包まれ続けるに違いない。本書は、世界の要人と石油の黒幕たちへの直接取材から、石油が動かす現代世界の戦慄すべき姿を明らかにする。

戦争の翌朝
ポスト冷戦時代をジェンダーで読む

シンシア・エンロー著／池田悦子訳

四六判上製　三七〇頁　２５００円

軍事化は特殊な男らしさとそれを認める女らしさによって支えられている。本書は、ランボー、レイプ、軍用売春、湾岸戦争、女性兵士などに視点を向け、戦争・軍事化をジェンダー分析し、ポスト父権制への道を指向する。

戦争の家〔上・下〕
ペンタゴン

ジェームズ・キャロル著／大沼安史訳

上巻　３４００円　下巻　３５００円

ペンタゴン＝「戦争の家」。このアメリカの戦争マシーンが、第二次世界大戦、原爆投下、核の支配、冷戦を通じて、いかにして合衆国の主権と権力を簒奪し、軍事的な好戦性を獲得し、世界の悲劇の「爆心」になっていったのか？

ビルケナウからの生還
ナチス強制収容所の証言
モシェ・ガルバーズ著／小沢君江訳
四六判上製
四〇二頁
3200円

著者はナチスの強制収容所で三年間生き抜き、生還した。本書は、その過酷で想像を絶する体験の記憶を書き留め、四〇年後に息子が綴った証言。過去としてではなく、実体験として心にきざみ、読み継がれるべき本である。

グローバルな正義を求めて
ユルゲン・トリッティン著／今本秀爾監訳、エコロ・ジャパン翻訳チーム訳
四六判上製
二六八頁
2300円

工業国は自ら資源節約型の経済をスタートさせるべきだ。前ドイツ環境大臣（独緑の党）が書き下ろしたエコロジーで公正な地球環境のためのヴィジョンと政策提言。グローバリゼーションを超える、もうひとつの世界は可能だ！

ポストグローバル社会の可能性
ジョン・カバナ、ジェリー・マンダー編著／翻訳グループ「虹」訳
四六判上製
五六〇頁
3400円

経済のグローバル化がもたらす影響を、文化、社会、政治、環境というあらゆる面から分析し批判することを目的に創設された国際グローバル化フォーラム（IFG）による、反グローバル化論の集大成である。考えるための必読書！

戦争はいかに地球を破壊するか
最新兵器と生命の惑星
ロザリー・バーテル著／中川慶子・稲岡美奈子・振津かつみ訳
四六判上製
四一六頁
3000円

戦争は最悪の環境破壊。核実験からスターウオーズ計画まで、核兵器、劣化ウラン弾、レーザー兵器、電磁兵器等により、惑星としての地球が温暖化や核汚染をはじめとして、いかに破壊されてきているかを明らかにする衝撃の一冊。

イラク占領
戦争と抵抗
パトリック・コバーン著／大沼安史訳
四六判上製
三七六頁
2800円

イラクに米軍が侵攻して四年がたつ。しかし、イラクの現状は真に内戦状態にあり、人々は常に命の危険にさらされている。本書は、開戦前からイラクを見続けてきた国際的に著名なジャーナリストの現地レポートの集大成。